BUZZ

Publisher ANDERSON CAVALCANTE
Editora SIMONE PAULINO
Assistente editorial SHEYLA SMANIOTO
Projeto gráfico ESTÚDIO GRIFO
Assistentes de design LAIS IKOMA, STEPHANIE Y. SHU
Revisão DANIEL FEBBA

Dados Internacionais de Catalogação na Publicação (CIP)
(Câmara Brasileira do Livro, SP, Brasil)

Tranjan, Roberto
O velho e o menino / Roberto Tranjan
1ª edição. São Paulo: Buzz Editora, 2017.
144 pp.

ISBN 978-85-93156-33-5

1. Carreira profissional - Desenvolvimento 2. Conduta de vida
3. Empreendedorismo 4. Desenvolvimento pessoal
5. Desenvolvimento profissional 6. Sucesso I. Título.

17-09092 CDD-658.421

Índices para catálogo sistemático:
1. Empreendedorismo: Desenvolvimento pessoal e profissional: Administração 658.421

Buzz Editora Ltda.
Av. Paulista, 726 - mezanino
CEP: 01310-100 São Paulo, SP

[55 11] 4171 2317
[55 11] 4171 2318
contato@buzzeditora.com.br
www.buzzeditora.com.br

O velho e o menino

A instigante descoberta do propósito

Roberto Tranjan

Temos aqui uma mensagem
especial para você.

Ofereço esse livro a

O maior presente que alguém pode ganhar
é a descoberta do seu propósito.
Que nada mais lhe seja tão urgente.

Em memória de José Carlos Vassoler,
o eterno menino.

Aos sempre meninos e meninas
Paulo Roberto, Felipe, Ivo, Carolina,
Renata, Edu, Victor Hugo,
Théo Alan, Matheus, Laura,
meus queridos afilhados.

PREFÁCIO

Do medo de ousar à coragem de realizar

O que está acontecendo?

Preste atenção na conversa daquelas duas operadoras de caixa de supermercado. Sabe do que falam? Da compensação de horas, dos dias de folgas, do horário de saída – momentos que mal podem esperar. Elas são apenas um exemplo, entre muitos outros. O mesmo acontece com atendentes das redes de *fast-food*, balconistas de lojas de roupas, frentistas de postos de gasolina, funcionários de escritórios etc. O que eles têm em comum é a pressa de ir embora, de retornar para casa ou de se dirigir a algum lugar que lhes traga algum tipo de satisfação que eles não encontram no trabalho. Enquanto isso não acontece, atenuam o tédio e a falta de ânimo dialogando entre si ou nas redes sociais, por meio de seus *smartphones*.

Comprove por sua própria conta! Uma despreocupada passagem por vários ambientes da empresa e um relaxado bate-papo no refeitório vai lhe mostrar que boa parte das pessoas se encontra nesse vácuo. Elas estão mais preocupadas com o momento de ir embora dali, ansiando por qualquer oportunidade de compensação de horas, folgas e feriados prolongados, em vez de se concentrar no propósito de seu trabalho. O absenteísmo e os problemas trabalhistas são provas disso.

Não pense, no entanto, que é muito diferente com os gerentes desses mesmos negócios, líderes, portanto, dos profissionais desencantados. Também eles não veem a hora de chegar o final de semana para então, finalmente, fazer as coisas de que gostam. Talvez sair de bicicleta pela cidade ou de motocicleta pelas estradas, viajar com o parceiro para algum lugar ou com a família para a praia ou o interior, em um hotel fazenda. E com igual objetivo: a satisfação ou a compensação ao árduo cotidiano.

Se você acredita que o dono do negócio, por usufruir de uma situação privilegiada de poder e autonomia, está mais feliz do que os demais, engana-se. Acredite, ele não vê a hora de chegarem as suas férias para concretizar aquela viagem para o exterior – América do Norte, Ásia ou Europa, entre outros continentes –, rumo a qualquer lugar do planeta que satisfaça, mesmo provisoriamente, uma busca incessante ao cotidiano sem tempero.

O que existe em comum entre eles?

Todos vivem uma ausência de propósito!

A ausência de propósito atinge aqueles que optam pelo sustento em um emprego que não conversa com seus dons e talentos nem abre espaço para a criatividade. Milhares de pessoas gastam seus dias em um trabalho que não lhes oferece nenhum tipo de recompensa, além da financeira, quando muito.

A ausência de propósito é comum também entre os empreendedores, executivos e empresários reféns da dimensão econômica e que, por isso, têm como únicos objetivos lucrar e crescer. Com uma perspectiva tão limitada, seus negócios são destituídos de significado. Eles conseguem êxito, mas, depois de uma vida inteira e ainda no topo, tardiamente descobrem que escalaram a montanha errada. Da mesma forma, e infelizmente nesses casos, o propósito não foi algo com que valesse a pena se preocupar.

Não pense, porém, que a ausência de propósito afete somente o mundo dos negócios e do trabalho. Quem vive sem propósito é presa fácil da entropia, geradora de preocupação, medo e estresse. Hoje, esse mal envolve a maioria da população, sobretudo os jovens perdidos nas drogas lícitas e ilícitas, com baixas perspectivas profissionais. O estudante, em sua busca interminável por currículo, pode descobrir que não é isso o que lhe falta, e sim a definição de um propósito. Os pais, sem saber muito bem como lidar com esses dilemas e impotentes diante de um cenário cada dia mais ameaçador, ajudam involuntariamente a piorar o quadro.

O problema se repete entre os que se aposentam e que, ainda repletos de vigor, desconhecem o que fazer com a terceira parte da vida.

Não existe desespero maior do que viver sem sentido. E o sentido da vida, bem como o seu significado, só acontece quando se descobre e vivencia um propósito.

É bom, no entanto, discernir claramente entre propósito e objetivos e metas ou ainda coisas a fazer. Permanecer em estado de excesso de ocupações pode ser uma decorrência de falta de propósito, algo muito corriqueiro quando existe a tradicional dobradinha: trabalho demais e baixo compromisso emocional.

Em uma empresa, a declaração de propósito é a mais importante definição de posicionamento. Vale para uma organização, para uma pessoa, seja empregado, estudante, profissional liberal, religioso. Sim, porque expressa o sentido e o significado de todo o seu projeto de vida.

Por experiência própria, descobri que um propósito bem definido proporciona transformações na vida. As oportunidades aparecem, porque a atenção está concentrada no propósito e em tudo o que a ele se relaciona.

A tomada de decisão torna-se mais fácil, porque passa a ter um parâmetro que facilita as escolhas. O desejo, a base do propósito, aciona a motivação e se contrapõe ao medo.

Este livro vai ajudar você a definir o seu propósito, caso ainda não o tenha descoberto. Vai reavivá-lo, se tiver perdido o viço. Vai propiciar uma reorientação, caso esteja construindo castelos na areia. Vai, no mínimo, manter sua atenção focada nesse exercício de busca. O que de pior pode nos acontecer é ter passado ao lado do nosso propósito sem reconhecê-lo. Qualquer que seja a situação, defini-lo ajudará você a migrar da platitude à plenitude.

Para onde vamos e o que vem a seguir? Saiba que, a partir de agora, você não está só! Trilharemos juntos o percurso rumo ao seu propósito. Também tive a sorte de elaborar o meu em boa companhia. Quero, então, retribuir.

Vamos?

PARTE I O velho e o menino

I

O Velho Taful

Conheci o Velho Taful num ônibus que se dirigia à Barra Funda, naqueles meus 20 e poucos anos universitários. Mania de ler, trazia sempre comigo um livro para me entreter e ampliar o conhecimento, amenizando o tédio do trânsito da cidade de São Paulo, já intenso na década de 70.

Estava mergulhado na leitura de uma obra do realismo fantástico que fazia muito sucesso naquela época, *O despertar dos mágicos*, de dois autores franceses.

– Está gostando do livro? – foi o que ouvi do passageiro sentado a meu lado.

– Sim – respondi curto e grosso –, e continuei concentrado no que fazia.

Detestava ser interrompido por dar menos importância às conversas, considerando-as quase sempre banais.

– Recebi os originais desse livro para revisão e contribuição – ele insistiu na prosa.

Diante do que considerei um grande atrevimento, tratei de medir de cima a baixo a pessoa. Era um senhor elegante, com magníficos bigodes, a calvície encoberta pelo chapéu impecável. Portava uma bengala, embora aparentasse vigor físico e disposição, apesar dos seus mais de 60 anos e da indumentária mais condizente com os anos 30 ou 40, nos trajes formais, de terno e gravata.

– Ah, é mesmo? – indaguei desconfiado, quase desacatando aquela figura *sui generis* instalada junto a mim, no transporte coletivo.

Resolvi suspender a leitura para dar espaço ao que eu considerei um conto da carochinha. Sempre cortês, também na maneira de se comunicar, ele me disse que os autores franceses eram seus amigos e que haviam solicitado a avalição dele sobre a edição brasileira do livro. Ressabiado, finalmente resolvi aprofundar a conversa, mas já sem tempo. Meu interlocutor ia desembarcar no próximo ponto. Antes de se levantar, falou:

– Aprecio quem gosta de leitura. Deixe-me seu endereço. Vou lhe enviar um livro de minha autoria.

Assim, trocamos cartões de visita. No dele, estava escrito: Benjamin Taful, escritor e empresário.

Alguns dias depois, recebi pelo correio o que ele prometera. Na singela dedicatória, ele havia escrito "com lembranças do passageiro de ônibus". Corri os olhos pelas orelhas das capas, querendo saber mais sobre um ser humano tão singular. De fato, ele possuía uma bagagem considerável de obras literárias e de iniciativas culturais suficientes para fazer dele alguém de relevo na vida intelectual do país e também reconhecido no exterior. O Velho Taful, denominação que adotei por minha conta, foi crucial na inspiração e elaboração de meu propósito de vida.

Como um arauto, o Velho Taful era um amigo de confidências, com quem eu podia compartilhar minhas incertezas e medos, na convicção de ser aceito e compreendido incondicionalmente.

Por muitos anos, após aquele encontro casual, tive a sorte de beber da sabedoria daquele velho homem. Encontrava-o sempre sorridente e disponível. Eu apreciava a relação dele com a vida e o seu jeito de desfrutar do que ela lhe oferecia.

Repasso o que aprendi com o Velho Taful, na esperança de que você também trilhe, ao seu modo, o caminho em direção a seu verdadeiro propósito.

"Faça de sua vida uma aventura fértil!", dizia o Velho Taful. Era o que fazia e foi o que passei a praticar.

2
O menino e o seu destino

Comecei a frequentar o ateliê de leitura e escrita do Velho Taful. Percorria com a minha magrela a distância de cerca de seis quilômetros entre minha casa e o endereço dele. Ali era o seu refúgio e, também, a sua fortaleza. Era onde ele se nutria de algo que o mantinha cada vez mais vivo: o conhecimento.

As prateleiras estavam sempre abarrotadas de livros, discos e revistas. Sobre os armários, fotografias, artesanatos e *souvenirs* de lugares por onde andou. Havia, ainda, brinquedos, quebra-cabeças e miniaturas de instrumentos musicais. O Velho Taful gostava muito de música, especialmente de canções populares de todos os lugares. Comparava: livros são como pedras paradas no fundo de um rio. Estáticos e silenciosos. É preciso mergulhar para acessá-los. As canções são borbulhantes como as ondas. Inquietas e vibrantes. Elas se achegam por conta própria. Com essa analogia bem típica, ele realçava a importância do estudo e da pesquisa.

Em uma das paredes, mantinha uma tela com a imagem de Francisco de Assis, em meio a uma paisagem exuberante, de flora e fauna tropicais, como se o santo tivesse vivido não na Itália, mas em algum país abaixo da linha do equador, fruto do imaginário de um pintor do estado da Paraíba. No lado oposto, havia o quadro de um menino olhando suplicantemente para cima, dirigindo-se a alguém que não aparece inteiramente, mas cuja mão afaga sua cabeça. A imagem me fazia viajar no tempo.

Reencontrava o menino que, ao longo da infância, ajudava o pai no comércio. Vivia em uma pequena cidade do interior do estado do Paraná, com cerca de oito mil habitantes. O menino vivia o trabalho, mas vivia também os amplos quintais, entre goiabeiras e bananeiras, cachorros e galinhas, borboletas e joaninhas. Por problemas financeiros, e na luta pela sobrevivência, a família se esfacelou, e o menino veio morar em São Paulo, pouco antes de completar 14 anos de idade.

Para o menino, acostumado à liberdade do campo, a praça Júlio Prestes, local da antiga rodoviária, pareceu uma ilha intransponível. Atordoado, a princípio, sequer ousava atravessar para o outro lado da rua.

O vaivém dos veículos e o barulho das buzinas formavam um ambiente caótico para os seus sentidos acostumados com o bucólico lugar em que vivia, o vento soprando sobre a copa das árvores, o grunhido dos animais, o aboio dos vaqueiros conduzindo as boiadas.

Mas o choque maior ainda estava por vir. Foi o seu primeiro contato com a instituição chamada de "organização". Para manter-se na cidade grande, era preciso ter um emprego.

O menino criado na liberdade dos quintais deparou-se com uma estrutura hierárquica, feita de normas e procedimentos, formulários e controles. Nunca tinha ouvido falar de burocracia, mas a sentiu de perto. Perdia horas em busca de uma assinatura ou de um carimbo. Lidava com nomes estranhos como *voucher*, borderô, memorando, duplicata, fatura, nota fiscal. Logo ele, acostumado com outro vocabulário: forquilha para fazer estilingue, bola de gude, bilboquê, pipa e até bola de capotão, embora essa fosse para os mais abastados.

Logo descobriu que as leis de fora valiam mais do que as leis de dentro. A produtividade, mais do que a criatividade. E o resultado, mais do que o processo.

Estranhava ser chamado de mão de obra, como que sugerindo um não pensar, não criar, não sonhar, apenas produzir e render. Algumas vezes, referiam-se a ele como recurso humano, a ser equiparado com desvantagens a outros, como os físicos ou financeiros. Pior, ainda, foi descobrir que não passava de um item de custo, incluído na folha de pagamentos, a influir sobre os resultados da empresa. E notar, mais tarde, que as organizações costumavam promover um tal de *turnover*, um nome chique para indicar os candidatos a colocar no olho da rua. Algumas pessoas chegavam a temer aumentos de salário, por entender que, se os recebessem, passariam a fazer parte da lista daqueles que iriam rodar.

Era preciso se enquadrar e, assim, enquadrava-se também o potencial criativo, a vontade de realizar, a coragem para ousar, o direito de sonhar. Reduzia-se, portanto, a capacidade de ser e o desejo de vir a ser.

Notou, ainda, que a maior parte das pessoas trabalhava cerca de quarenta horas ou mais por semana, fazendo o que detestava.

Em contrapartida, existiam as anedotas, para aliviar a dor. Como aquela do funcionário que chega para o chefe e diz: "o senhor vai me desculpar, mas estou ganhando muito pouco", ao que o superior hierárquico, laconicamente, responde: "está desculpado".

As pessoas adoeciam e consultavam médicos em busca de atestados para que suas faltas não fossem descontadas. Algumas chegavam a simular problemas, com o mesmo objetivo. Entre o querer agradar e o medo de desagradar, desenvolviam habilidades políticas para manter o emprego e conquistar promoções. Com isso, desenvolviam múltiplas personalidades, transformando a vida no trabalho em uma peça de teatro.

Definitivamente, aquele não era um ambiente saudável.

Mas nada calou mais fundo no menino do que o dia em que ele foi revistado. Tudo por causa de um furto na empresa e, então, todos eram suspeitos até se provar o contrário. Sentiu-se humilhado e ultrajado. Com toda razão. Foi revistado e interrogado por um colega de trabalho, alguém que ele, antes, considerava amigo. A partir dali, o menino se deu conta de que o paraíso havia ficado para trás. A relação de confiança que um menino tinha em outro menino era diferente da relação de confiança entre os adultos. Adultos que perdiam a meninice perdiam também a confiança uns nos outros. E a desconfiança era a marca mais representativa da tal "organização". Por isso, todo aquele aparato cerceador de comando e controle, de vigilância e punição.

O menino perdia as asas enquanto se acostumava com a gaiola.

A mão que afagava a sua cabeça, quando se comparava à imagem do quadro na parede, agora tinha rosto. O Velho Taful sabia que o conhecimento e o intelecto são insuficientes para ocupar o lugar da ternura e do afeto. Ele bem compreendia a minha desdita, similar a tantas outras, e o meu olhar suplicante, como tantos outros.

3
A seta e o alvo

O Velho Taful acabava de retornar da sua caminhada matinal e, pelo semblante, parecia mais animado do que de costume.

– Está na hora de começar!

– Começar o quê? – perguntei, intrigado.

– O filósofo Sêneca ensina que "nenhum vento sopra a favor de quem não sabe para onde ir".

– Vai dizer que conheceu também o filósofo Sêneca? – questionei, com uma pitada de ironia.

Rindo da minha provocação, ele puxou um livro da estante.

– Você precisa se orientar por um propósito. Veja só... – folheando, localizou a página – *proponere*, do latim, aqui está: *pro*, "adiante, colocar à frente"; *ponere*, "colocar, pôr". Propósito significa pôr adiante. Algo, portanto, que vem na frente.

– Por onde tudo começa, então.

– Não necessariamente... – respondeu o Velho Taful, com ponderação – o propósito é algo que você procura.

– Procurar o propósito? – interpelei, atônito – Pensei que o propósito é que iria me conduzir.

– Vamos recorrer, agora, aos gregos – ele continuou, puxando outro livro da estante – Está aqui: propósito, em grego, é o mesmo que *skopós*. De onde saem outras palavras como telescópio, microscópio, periscópio. Todas elas servem para observar em estado de alerta. É assim que descobrimos o nosso propósito.

– É tanto procurar como colocar à frente – arrisquei, tentando sintetizar.

– É tanto o alvo como o sentido da seta – ele esclareceu.

Eu estava confuso, mas resolvi seguir adiante, prestando atenção no que ouvia.

O Velho Taful colocou um disco para tocar, enquanto preparava o café em sua inseparável cafeteira italiana, a quem chamava carinhosamente de Rita.

– Ponha as xícaras na mesa, Aladim.

– Aladim? Esse não é o meu nome! – reagi, espantado.

– A partir de agora você vai ser o Aladim – ele ordenou, como a propor um jogo. – Conhece a história?

– Sim, mas gostaria de saber qual é a sua versão.

Enquanto servia o café, o Velho Taful continuou:

– É um dos principais contos da cultura árabe e está no livro *As mil e uma noites*.

A bebida tão aromática estava bem quentinha; muito apropriada para aquela manhã fria de domingo.

– Vou resumir – ele falou. – Aladim é um jovem que se recusa a aprender o ofício do pai, que é alfaiate. Considerado desobediente por sua mãe, ele não se preocupa com o seu futuro. Até que se depara com um mago. Esse encontro é determinante para modificar a sua trajetória.

Respirei fundo. Conhecia a história, mas não esses detalhes.

– O mago lança um desafio para Aladim: obter uma lâmpada maravilhosa que contém um gênio com o poder de realizar os desejos.

Vasculhando entre badulaques, o Velho Taful recolheu uma lamparina colorida, lembrança de uma de suas viagens à Turquia.

– Aladim, basta esfregá-la para que o gênio apareça e realize os seus desejos – ele simula o gesto, antes de passá-la para mim.

Segurei aquela lamparina com o ímpeto de fazer o movimento indicado, como se estivesse vivendo o conto de Aladim em *As mil e uma noites*, mas me contive sentindo-me ridículo.

– O que tudo isso tem a ver com o propósito?

O Velho Taful cofiou os bigodes antes de responder.

– Você descobre o seu propósito quando bebe na fonte do desejo. Antes do propósito, o desejo. E, assim como Aladim, você tem direito a três desejos.

Pensativo, tomei mais um gole de café.

– Vou precisar de um tempo. Não sei direito o que pedir, ainda.

– Aladim, estamos diante de um problema! Você nem ao menos sabe o que pedir. Precisa imaginar o que deseja. Essas imagens são projetadas para fora, o que permite encontrá-las. Sem desejo, não há busca. Sem busca, não há encontro.

– Acho que começo a entender a história da seta e do alvo. O propósito depende dos desejos e os desejos dependem do propósito.

– É isso mesmo: a seta busca o alvo, o alvo busca a seta. Proponho que você pense a respeito e traga os seus três desejos no próximo encontro.

Antes de ir embora, brinquei com o Velho Taful.

– Duvido que tenha conhecido o gênio da lâmpada.

– Errou na mosca! Conheço-o bem – comentou, rindo, enquanto sorvia o último gole de seu café.

4
A vida das palavras

O Velho Taful era um homem das letras. Como bom leitor e escritor, tinha paixão pelas palavras. Ele as apreciava, tanto em prosa como em poesia. Com ele também aprendi a gostar das palavras e de seus significados. Ensinou-me a buscar seu étimo, ou seja, sua origem. Uma de suas diversões era pesquisar nos dicionários etimológicos e analógicos, que mantinha sempre à mão, facilitando as consultas.

– Você já pensou na palavra "ódio"? – indagou enquanto a escrevia com giz branco na lousa escura que mantinha em seu ateliê de leitura e escrita.

– Não sei onde quer chegar – murmurei.

– O que você sente diante dessa palavra de apenas quatro letras? – ele voltou a indagar.

– Algo perturbador! Não desperta, em mim, bons sentimentos – admiti, sem rodeios.

– De fato, é mesmo impressionante o mal que pode causar, se buscarmos em nosso interior o lugar sombrio onde ela e o sentimento correspondente habitam – ele acrescentou para, em seguida, registrar mais uma palavra no outro canto da lousa.

– E essa, que sentimento lhe causa?

Diante de "entusiasmo", respondi:

– Para mim, essa é inspiradora, me traz bons sentimentos.

– E não é para menos – frisou o Velho Taful –, pois em seu étimo está a palavra Deus, do grego, *enthousiasmós,* que pode ser traduzido, entre outras alternativas, por "inspiração divina". Não é possível sentir-se mal, seja pronunciando, pensando ou sentindo essa palavra.

Aprecio o que ela provoca em mim e nas outras pessoas – ele comentou, sorrindo.

Na sequência, afirmou:

– Palavras têm poder! O poder de seu significado.

– Mas o que tudo isso tem a ver com propósito? – indaguei, só para me certificar, embora já intuísse a resposta.

– Tudo! Propósitos são descritos por palavras e, como vimos, elas têm vida e poder. Tanto podem abrir como fechar janelas, incluindo as janelas de oportunidades.

Notei que ele estava me preparando para o que viria. Como um bom educador, sabia preparar o terreno antes da semeadura. As palavras fazem parte desse movimento. Emprestam ao propósito o significado de que ele precisa para fazer o seu trabalho no mundo. Assim como um bom artesão escolhe o melhor insumo para o seu artefato, cada um de nós deve escolher a melhor palavra para o que dá vida e vigor ao que vai conduzir a nossa história.

O Velho Taful seguiu adiante:

– Tome como exemplo a palavra "destino". Há quem compreenda destino como algo independente de nossos planos, vontade ou capacidade. Os antigos gregos acreditavam que três irmãs fiandeiras decidiam o destino de uma pessoa ao longo do fio da vida, do amor e do poder. Uma delas controlava o comprimento do fio, a outra, tecia-o, e a terceira, cortava-o, quando chegava o fim. Tudo previamente determinado. É uma metáfora da presença de uma força ou poder fora de nosso controle.

– Ou seja – acrescentei –, destino é algo que está posto e sobre o qual nada podemos fazer. Está além das nossas possibilidades.

– Diferentemente de desígnio, embora ambas sejam oriundas do verbo "determinar" – ele esclareceu.

– "Oriunda", que palavra é essa? – quis saber.

– Significa "que tem origem em".

"Cada palavra que o Velho Taful arranja!", pensei.

– Destino, como algo determinado; desígnio, como algo a ser determinado – ele prosseguiu.

– Velho Taful, consegue ser mais claro?

– Desígnio implica que temos alguma ingerência sobre o que nos acontece. Você conhece o livro de Jonas, da Bíblia?

Não, não conhecia. Só de ouvir falar. Escutei, atento.

– Jonas é o arquétipo bíblico que se recusou a transformar o seu destino em desígnio. Não queria viver o desígnio. E sua vida se tornou trágica. Enquanto não fazia a escolha, ele viveu desventuras, a ponto de ser lançado ao mar e engolido por uma baleia. Lá ficou três dias e três noites, e só conseguiu sair quando, finalmente, aceitou o seu desígnio.

– "Dentro da baleia mora mestre Jonas" – cantarolei uma canção que fazia muito sucesso na época.

O Velho Taful sorriu e retomou o fio da meada.

– Assim acontece conosco quando vivemos encerrados nas teias do destino, sem encarar o desígnio. As portas se fecham, os esforços são desmedidos, os empenhos geram desempenhos cada vez mais fracos e não se cessa de dar murro em ponta de faca. Um grande potencial pode ser destruído e a sorte passará entre os dedos. Há quem chame tais infortúnios de destino, mas não passam de reiterada recusa ao desígnio.

Ouvi estupefato. Sentia-me exatamente assim: dando murro em ponta de faca. E achava que podia ir mais além.

– Destino, porém, não leva necessariamente ao fracasso; pode, sim, determinar o tão propalado sucesso. E talvez esta seja a sua faceta mais cruel: tanto as escolhas que fazemos como o êxito obtido podem camuflar o real desígnio, onde mora o nosso verdadeiro propósito.

Senti um frio na espinha. Será que estava no emprego certo? Evoluía na carreira e conquistava postos, mas esse seria o meu melhor futuro? Por vezes, sentia vontade de respirar outros ares. Mas estava com o sustento assegurado, e isso me retinha.

Compreendi a importância das palavras. Embora com a mesma etimologia, destino e desígnio tinham significados diferentes, e escolher entre uma e outra fazia toda a diferença.

Desígnio é dar sentido e direção à vida. É revesti-la de propósito e significado. Aprendi, com o Velho Taful, que não se deve esperar que aconteça do jeito que se imaginou. Seria apostar na previsibilidade e na regularidade, tirando toda a graça da aventura. E isso nem é o mais importante.

Destino se refere ao futuro, enquanto desígnio tem a ver com o impacto futuro das decisões tomadas no presente. Não se trata "do que farei se isso acontecer", mas "do que acontecerá se eu fizer isso". A seta e o alvo, sutilmente, mais uma vez.

Não por acaso, portanto, o Velho Taful me assegurou:

– Se estiver no rumo certo, a vida se abrirá como um girassol diante do astro rei, ambos em perfeita conexão. E poderá ir além do que havia sido imaginado, pois o Sol faz a sua parte enquanto o girassol faz a dele.

– E então, Aladim, elaborou os seus três desejos? – ele perguntou, como sempre, de maneira direta.

– Sim. Estão aqui.

Mostrei-lhe a folha onde havia escrito:

1º Desejo: ter sucesso na profissão.
2º Desejo: ganhar muito dinheiro.
3º Desejo: gostar do que faço.

Cofiando o bigode, o Velho Taful examinou um a um, lendo em voz alta.

– Pois bem, Aladim. Você mesmo vai colocá-los em xeque. Eu, como o gênio da lâmpada, vou lhe dar sinais para que avalie se vai ou não realizar os seus desejos.

Começava a gostar da experiência de reviver Aladim. Sentia o cheiro de aventura no ar.

– Esta é uma viagem que se inicia sem um destino definido. Vai, portanto, moldando-se à medida que prossegue. Lembre-se de que o propósito não é algo a ser definido, e sim descoberto. Para tanto, é preciso procurá-lo.

O Velho Taful desenhou, na lousa, uma rota margeada de cinco estações.

– Esse é o percurso que você vai fazer. É apenas um esboço. Cada pessoa delineia o que prefere, a partir de seus desejos. Portanto, não há um percurso igual ao outro. O importante é passar pelas cinco estações. Cada uma delas implica um desígnio. Visitá-los e fazer ajustes nos desejos fará com que o propósito seja revelado.

– Então, se bem entendi, passarei por cinco desígnios – tratei de testar meu entendimento e de simplificar as explicações.

– Sim, mas avance sem pressa. Descubra e siga seu ritmo. Importante é assimilar bem cada um dos desígnios. Conceda, generosamente, tempo para reflexão, ajustes de rota e experimentação. Só assim alcançará o seu propósito.

Senti-me desafiado.

– "O caminho se faz caminhando", bem disse o poeta Fernando Pessoa – frisou o velho mestre com todo o entusiasmo.

PARTE 2 Os cinco desígnios

5
O primeiro desígnio

– Psiu!

Foi o que ouvi ao entrar no ateliê do Velho Taful, deixando a magrela encostada lá fora. No parapeito da janela estava pousado um bem-te-vi garboso, tão colorido, com aquela listra branca no alto da cabeça, acima dos olhos, a barriga amarela, o pescoço alvo e a cauda preta. Uma bela ave. O bico negro, achatado e longo, com uma ligeira curva, dava-lhe um ar de nobreza.

O Velho Taful ali estava, tentando fazer contato com o pássaro, e ele parecia corresponder, mexendo a cabeça como se quisesse captar o chamado. Nós nos aproximamos um pouco mais e, talvez assustado, ele alçou voo, preferindo as alturas ao nosso convívio estreito.

Provavelmente por causa da cena, um quadro na parede chamou a minha atenção. Era o perfil do poeta Mário Quintana com os seguintes versos: "Todos esses que aí estão atravancando meu caminho, eles passarão... eu passarinho!".

– Conheci Mário Quintana em Porto Alegre – comentou o mestre ao ver que eu apreciava os versos. – Ele morava em um hotel no centro da cidade. Naqueles poucos metros quadrados, ele produziu uma obra literária de primeira grandeza.

– Gostaria de conhecer mais a sua obra, mas não tenho conseguido muito tempo para as boas leituras. O trabalho e a faculdade estão me consumindo – lamentei.

– Quando eu o visitava, saíamos para caminhar pela rua da Praia, perto do cais do porto, até a praça da Alfândega, onde sentávamos para conversar sobre a vida e a literatura, a literatura e a vida... e sobre passarinhos!

– Bom para quem tem tempo sobrando – comentei, por alto, disposto a retornar logo ao tema do nosso último encontro.

O Velho Taful, percebendo a minha ansiedade, mudou o curso da conversa. Abdicou das doces memórias de Porto Alegre para mergulhar na realidade nua e crua feita de pressa e pressão.

– Como estão as coisas no trabalho e nos estudos?

– Uma chatice! Na empresa, meu chefe não pensa em outra coisa a não ser cobrar resultados. As metas do ano... as metas do semestre... as metas do mês... sempre as metas, e dane-se o resto.

– Qual é a causa de tantas cobranças?

– A crise! Aqui confinado, o senhor não consegue ver nada, mas, talvez reconheça que o mundo aí fora está pegando fogo! É um "salve-se quem puder!". É só ler os noticiários.

– Ah! E, diante desse cenário, o que está sendo feito?

– Agora estão cortando cabeças. Cada um de nós espera a sua vez.

– E o que você acha que não deveria ter sido feito?

– Não deveriam nos pegar de surpresa. Um de meus colegas foi demitido na véspera do Natal. Imagine como foi isso para ele! Tinham de conversar mais com a gente, pois gostaríamos de ser levados em conta. Ninguém, na linha de comando, quer saber nossa opinião.

– Mas o que poderia ser feito, agora mesmo, para reparar tal situação?

– Sei lá! Os homens lá de cima é que resolvem. Eles decidem tudo. Eu só estou lá para fazer o meu trabalho.

– Quais são as consequências do que está acontecendo?

– Um clima horrível de desmotivação e queda de produtividade. Cada um que chega ao trabalho parece que está se dirigindo à guilhotina.

Sem trégua nem intervalos, o Velho Taful disparava questionamentos.

– E na faculdade, as coisas estão melhores?

– Estariam se os professores fossem mais preparados e os diretores, mais exigentes com eles.

– O que deveria ser realizado agora e que eles não estão fazendo?

– Deveriam diminuir o volume de trabalhos e de livros a serem lidos, principalmente na época das provas. Acho, ainda, que os professores despreparados – alguns são, mesmo – teriam de ser substituídos.

– Do jeito que está, quais são as consequências?

– Os alunos fazem de tudo para fugir das aulas e os bares nos arredores estão repletos.

De repente, o Velho Taful parou de perguntar e me encarou, firme, olhos nos olhos. No afã de responder, eu sequer havia me dado conta de que as questões foram lançadas como projéteis de metralhadora. A minha respiração estava curta, o Velho Taful me fez perceber esse detalhe. Aquele diálogo tinha sido como uma descarga de adrenalina.

– Tome um gole d'água e respire devagar – ele me serviu um, com a habitual cortesia.

O Velho Taful esperou pacientemente que eu me aquietasse e, cofiando o bigode, pareceu voltar à carga:

– Qual é o problema?

Logo compreendi que era uma pergunta mais para pensar do que para responder. A sessão pinga-fogo havia terminado. Depois de um breve silêncio, o Velho Taful retomou o questionário em outra cadência.

– Qual é o seu desafio no trabalho e na faculdade?

– O meu desafio... bem... no trabalho, é prosperar, conseguir uma promoção, sei lá, ganhar mais... – respondi, hesitante – na escola é me formar... ter uma profissão...

– De que maneira você pretende enfrentar a situação, tanto na empresa como na escola?

– Penso que, na empresa, terei de me preparar melhor... e na escola, também...

– Você acredita que poderia ter feito algo para evitar isso tudo?

– Pensando bem... acho que sim... tem muita coisa que a gente pode fazer e não faz.

– Por exemplo?!

– Ter me empenhado mais, indo à luta, oferecendo ou buscando ajuda, em ambos os ambientes. Poderia ter tentado conversar com o meu chefe sobre o trabalho, da mesma forma com os professores, apresentando sugestões para melhorar as aulas. Puxa! Quantas coisas podem ser feitas! Só agora, após refletir, consigo imaginar uma porção delas – concluí, mais animado.

– E como você vai arranjar tempo para fazer todas essas coisas?

– Tempo a gente arranja, quando interessa – respondi quase instintivamente.

– Muito bem, muito bem! – ele continuava a cofiar o bigode, satisfeito com o desdobramento da conversa. – Como você se sente, agora, olhando de um outro jeito para o seu problema?

– Acho que não tenho um problema, estou diante de um desafio!

– Isso mesmo! – exclamou novamente o Velho Taful, exultante por ter conseguido chegar aonde queria.

– Estamos, então, diante do primeiro desígnio: o do criador e da criatura!

Armei-me de outro gole d'água.

– Quem age como criatura não assume o problema para si, acredita que tudo depende dos outros e que o culpado está sempre do lado de fora: no chefe, na empresa, nos pais, em casa, no professor, na escola, nos governantes, no país. Sempre acham alguém que deveria ter decidido de determinada forma ou agido de um certo jeito. Nunca, porém, trata-se da criatura, vítima de tudo e de todos.

– Isso é muito comum – sussurrei, tentando desviar o foco de mim mesmo, sem que me desse conta de que, agindo assim, assumia a atitude de criatura.

– Diferente da conduta de criador, aquele que assume a responsabilidade sobre si mesmo e sobre sua vida. O criador é protagonista e se recusa a permanecer na arquibancada xingando o juiz ou o técnico e os jogadores, se não atendem a suas expectativas.

O Velho Taful, naquele dia, estava fulminante.

– Aliás, expectativa é uma palavra bem ao gosto das criaturas. Estão sempre esperando que alguém faça alguma coisa. Esperam... esperam... esperam... ao final, frustração na certa!

– Mas acho que as criaturas também têm vontade de acertar – contemporizei, tentando ser condescendente.

– Ficam só na vontade. Não evoluem para a força de vontade.

E continuou:

– São próximas, mas não iguais. Vontade é um anseio, uma aspiração. Força de vontade é determinada pela razão ou motivação, pois ambas estão por trás dessa vontade. Mas, qualquer que seja o impulso inicial, nada acontece se você ficar somente na vontade. A escolha depende da vontade, mas a decisão, da força de vontade.

Não havia ainda me detido a refletir sobre essas diferenças. Continuei atento, ouvindo o Velho Taful.

– Suponha, e é apenas uma suposição, que você acaba de perceber que é muito desatento em seu trabalho. A partir dessa percepção, você decide, conscientemente, ser uma pessoa mais atenciosa. Ou seja, fará tudo o que for possível para desenvolver a virtude da atenção.

Estava ligado! Afinal, era a minha primeira estação, o meu primeiro desígnio. Tinha ainda um bom percurso pela frente e vontade de prosseguir no passo certo.

– Em seguida, você terá de aprender o que fazer e o que não fazer para praticar tal virtude. Isso depende de se livrar do destino de criatura e assumir o desígnio de criador.

Opa! Destino e desígnio começam a ficar mais claros para mim.

– Para tanto, você terá de desconsiderar todos os argumentos que sabotam a sua atenção, mesmo que pareçam razoavelmente convincentes. Você recusa o batido "é assim que as coisas funcionam" e acredita – de verdade! – que pode lidar de outra maneira com situações capazes de levar à desatenção.

Por instantes, repassei mentalmente as respostas que havia dado ao Velho Taful durante seu arsenal de perguntas.

– Você vai ter uma nova perspectiva das situações, porque vai olhar para cada uma delas de outra maneira.

– Foi o que percebi entre as duas abordagens de perguntas – acrescentei, exultante.

– É isso mesmo! Na segunda rodada, você começa a agir com base em seu desejo e força de vontade.

– Eu, senhor de mim! – afirmei, sentindo-me fortalecido.

– O seu desejo, agora, é a sua preferência, da mesma forma que é também a sua exigência. Não se trata da preferência ou da exigência de outra pessoa, mas da sua, legítima e única. Você, agora, é um criador de sua própria vida. Tem o desígnio como baliza e não precisa mais se entregar à sorte do destino.

– Mas... e as recaídas? – perguntei, inseguro com a suposta firmeza demonstrada pelo Velho Taful.

– Claro! – ele concordou, sorrindo. – Afinal, você está lutando contra a sua criatura, que insiste em sobreviver e manter os velhos hábitos. Mas é a partir dessa consciência que você retoma o desafio.

– Vai ser uma boa queda de braço! – eu disse, prevendo a disputa acirrada.

– E, mesmo que reavive o seu desejo e reforce a sua força de vontade, você poderá ter outras recaídas.

– E aí?

– Aí você se levanta e anda novamente. Quantas vezes forem necessárias. Se lhe parece um cenário de luta sucessiva, a imagem é bastante correta. É um combate. Mas dos bons!

Compreendi! O criador vai além da criatura, assim como a força de vontade vai além da vontade. Não é simplesmente uma escolha. É uma decisão e um compromisso.

– Sempre que esmorecer, lembre-se dos ganhos, e são muitos: a sensação de poder, a autonomia diante do trabalho e de sua vida, e a alegria pelas conquistas.

– Isso tudo é muito bom, mas não me parece fácil...

– Mudar não é fácil, mas é tudo, quando o que você deixa para trás são conceitos e práticas ultrapassadas e que não fazem o menor sentido diante do desafio de viver um propósito e de seguir adiante.

Eu antevia que a mudança de atitude faria muita diferença em minha vida.

– Aladim – ele frisou meu novo codinome –, por que você cursa uma faculdade de Economia?

– Não sei bem o porquê. Acho que por conta do meu emprego em uma instituição financeira.

– Foi você quem escolheu esse emprego?

– Na primeira oportunidade de colocação, a gente aceita quem nos aceita. Eu sequer tinha carteira de trabalho quando consegui a vaga de *office-boy* naquela instituição financeira.

– Aladim, você está preparado para saber se os seus desejos passam pelo crivo do primeiro desígnio?

– Sim! – respondi, resoluto.

– Então, faça o teste do criador e da criatura: os seus desejos são seus ou são desejos de seus pais, de sua família, da sociedade, da publicidade?

Examinei os meus três desejos.

1º Desejo: ter sucesso na profissão.
2º Desejo: ganhar muito dinheiro.
3º Desejo: gostar do que faço.

Refleti, sem pressa, a respeito de cada um deles.

– O sucesso busca o aplauso da sociedade – disse-me o Velho Taful. Será mesmo um desejo pessoal, do âmago do meu ser, ou uma indução advinda da sociedade? É o meu querer ou é um querer coletivo? E a minha profissão? Foi mesmo minha escolha ou influência de meu emprego?

O Velho Taful me fez notar que muitos seguem a manada, copiam padrões, imitam outras pessoas. Incorporam uma identidade que não é sua. Descaracterizam-se. Constroem a própria gaiola, onde ficarão prisioneiros.

O mesmo vale para o segundo desejo, o de ganhar muito dinheiro. Sim, eu quero ser rico, existe algum problema nisso? Sei que os ricos são mais apreciados e valorizados pela sociedade. Será que eu estou em busca de dinheiro ou de prestígio?

Gostar do que faço! Se eu não gostar do que faço, como poderei fazê-lo com gosto? Vejo nas revistas e na televisão pessoas felizes com o que estão fazendo. Queria ser uma delas.

– Noto que os meus desejos estão cheios de influências – confessei, agora ciente.

– Mas não se aborreça com isso. O poeta Fernando Pessoa já reconhecia tal fato humano quando disse que "somos o intervalo entre nosso desejo e aquilo que o desejo dos outros fez de nós". Buscar a verdadeira identidade é, portanto, um belo desafio.

– Estou pensando em reformular os meus desejos – admiti.

– Faça isso. Já era esperado – disse sorrindo o Velho Taful. – Pense a respeito e trate de refazê-los, agora como criador de seus desejos. E não deixe que ninguém mais atravanque o seu caminho para que você possa voar, livre como um passarinho.

6
O desafeto

Eu sempre retornava muito reflexivo dos encontros com o Velho Taful. Gostava de aprender com ele, embora, por vezes, achasse-o um tanto radical, como, por exemplo, quanto ao fato de evitar os noticiários. Não tinha o hábito de ler jornais nem revistas e, depois, foi ainda mais longe: deixou de assistir à televisão. Dizia que o tempo é um bem precioso para ser desperdiçado com efemérides, palavra bem característica do vocabulário dele. Preferia investir seu tempo em atividades mais criativas e produtivas.

Reservas à parte, quando saía de seu ateliê, eu me sentia bastante animado. Esperançoso é a palavra! Ansiava encontrar o meu propósito, acreditava na importância dele para a minha vida. Mas aquele estado de espírito nem sempre durava muito. Defrontar-me com a realidade nua e crua não era tarefa fácil, e o mundo lá fora estava longe de ser assim tão positivo como o Velho Taful fazia crer.

Em meu trabalho, os problemas continuavam. Crises, metas inalcançáveis, conflitos entre as pessoas e vilanias, veladas ou não. Nada a ver, portanto, com um mar de rosas. Da mesma forma, tudo mais ao redor do planeta: sofrimento, guerras, miséria sem fim, doenças e pragas.

Diferentemente do Velho Taful, eu gostava de assistir a filmes na televisão. Um deles, visto há alguns anos, jamais saiu de minha memória: *A noite dos desesperados*. O título já diz tudo. Mostra um concurso em que os participantes concorrem a um prêmio em dinheiro. Ganhava quem conseguia se manter em pé até o final, dançando horas e horas sem parar. A maioria acabava desistindo, por vontade própria ou limites do corpo, agonizando entre dores, câimbras e desmaios. O pior é que não era simples obra de ficção, mas um roteiro baseado em fatos reais. Nos idos de 1929, nos Estados Unidos, proliferavam certames atraindo milhares de pessoas desempregadas em busca de algum dinheiro. Elas se submetiam a tudo para ganhar uns trocados e garantir sua sobrevivência, naquela de cada um por si.

O filme foi baseado no livro *Mas não se matam cavalos?*, em alusão ao ato de sacrificar o animal quando ele já não serve para mais nada. E a mensagem sórdida é que, se vale para cavalos, vale também para seres humanos.

Às vezes, os encontros com o Velho Taful se espaçavam e eu me sentia estranho, como se tivesse perdido o eixo. Sim, porque ficar sem orientação acaba por minar, gradativamente, a coragem. Por isso, é bom ter o alvo à frente e saber qual é o sentido da seta. Enquanto eu não encontrava o meu propósito, meu sábio interlocutor havia se transformado em uma referência para mim, a substituir o pai ausente de minha adolescência e juventude.

Ele recebia, com certa constância, convites para participar de congressos e simpósios sobre temas que tratava em seus livros. Era muito prestigiado em Portugal, onde, nos anos 1960, havia conquistado prêmios pelo conjunto de sua obra, além de bons amigos em Lisboa, pelos quais nutria grande estima. Suas viagens pelo Brasil e também rumo ao exterior deixavam em suspenso tanto nossas conversas como a elaboração de meu propósito. Mesmo assim, eu não deixava de exercitar os aprendizados.

Em um de nossos encontros, dada sua paixão pelas palavras, o Velho Taful discorreu sobre uma que ele considerava integrar o rol das imprescindíveis: discernimento. Entendia que essa deveria fazer parte do vocabulário habitual de todo ser humano. Em lugar de honra!

Discernimento é uma capacidade que todos nós temos, embora nem sempre façamos uso dela, ele afirmava. Exemplificava sua opinião, dizendo que não nos falta conhecimento para saber que o ódio – ou mesmo o rancor – é um obstáculo à nossa alegria de viver e que, tal sentimento, traz-nos angústia, ansiedade e medo. Sabemos, também, que perder o sono por causa de algumas suposições ou fantasias não compensa. Mais ainda, temos ciência de que o que nos maltrata é a nossa leitura da realidade, sempre parcial, incompleta, tendenciosa. Mesmo assim, preferimos apostar nesse enredo ficcional e ficar remoendo mágoas imaginárias, com a equivocada atitude de quem vive cutucando uma ferida, a ponto de impedi-la de sarar.

– Discernir – dizia o Velho Taful – significa compreender o que existe. É ter consciência plena da realidade, sem se deixar levar por miragens, versões dos fatos, fantasias.

Embora não ignorasse a realidade, ele achava que uma coisa é escutar narrativas, assistir a filmes e ler livros sobre momentos dramáticos de nossa História, outra é saber o que fazer com isso tudo. Deixar-se levar por nosso cérebro réptil – dizia – é a pior alternativa. Esse órgão, esclarecia, está treinado para acionar os instintos mais primitivos de sobrevivência. Assim, se permanecermos à sua mercê, só nos restam duas alternativas: "Para o mundo que eu quero descer" (refrão de uma música que fazia sucesso na época) ou ir para cima com tudo, pisando em quem estiver na frente, na tentativa de garantir para si o pouco que ainda resta.

Mesmo diante dessas explicações, das quais eu não discordava, o sentimento de impotência e de desânimo, que por vezes me assolava, era real. Resolvi, ao meu jeito, praticar o discernimento de outra forma. Descrevendo e dando nome ao meu desafeto.

Quem é ele?

Prefere viver encaramujado. A onda de assaltos está em alta – é o que se vê nos noticiários – e ele resolve permanecer em casa, espiando o mundo do lado de fora pelas frestas das cortinas. Considera a vida um vale de lágrimas, triste sina diante da qual nada pode ser feito.

Sua conversa predileta, além do clima e da temperatura jamais de seu agrado, é sobre as tragédias do cotidiano. Está tão preso às adversidades que uma boa nova o deixaria sem assunto, perplexo diante de suas imutáveis e muito particulares verdades.

Persistir na desventura, de certa forma, é o que dá um certo repertório à sua vida. Não saberia viver de outra forma. É um derrotado, sempre à procura de outros fracassados, em meio aos quais não se sente só, mas partícipe do insano zumbido coletivo.

Não ter um propósito é um prato cheio para ele, pois uma de suas funções é exatamente essa: a de nos puxar em todas as direções, deixando-nos desnorteados e estressados.

Qual é o seu nome?

Mórbido! Ouvia seus passos e batidas na porta, o tempo todo. Mórbido é o seu nome!

7
O segundo desígnio

Antes de uma nova conversa, tratei de fazer reparos em meus três desejos. Ficaram assim:

1º Desejo: escolher e conquistar uma profissão promissora.
2º Desejo: aprender a ganhar dinheiro.
3º Desejo: arranjar tempo para fazer o que gosto.

Apresentei-os ao Velho Taful em uma agradável manhã ensolarada, ao que ele foi logo dizendo:

– Parece que você chamou a responsabilidade para si.

– Desejos de criador! – confirmei, animado.

– Escolher, conquistar, aprender, arranjar – fazendo referências aos verbos que iniciam cada frase refeita. – Os verbos dizem muito e declaram intenções – acrescentou Velho Taful, sempre ligado nas palavras.

Não havia me dado conta da importância dos verbos.

– A intenção de Pedro Álvares Cabral, quando saiu para navegar, era "descobrir", não governar. Da mesma forma que outros grandes navegadores, como Vasco da Gama, Américo Vespúcio, Cristóvão Colombo, que desvendaram novas terras, mas jamais as governaram. Eles estavam certos de suas intenções.

– Se bem compreendi, o criador tem as suas próprias intenções e não vive intenções alheias.

– Entendeu corretamente! Mas nem sempre as intenções do criador são as melhores intenções.

Abri mais as cortinas, para que a luz do Sol entrasse com toda a intensidade, enquanto meu interlocutor seguia seu raciocínio.

– A palavra "intenção" provém do verbo latino *intento*, que significa estender-se para frente. Cada uma das intenções que você definiu é representada pelo verbo que abre as frases. São justamente os verbos que determinam a direção e impulsionam os nossos desejos. E dão o sentido à seta. Ou seja, os verbos que escolhemos apontam a nossa intenção, suas inclinações e movimentos, mas nem sempre na direção certa.

– E como saber?

– Passe os seus desejos pelo crivo do segundo desígnio: a farta e a falta.

– Farta e falta?

– Um desejo pode ter como intenção preencher uma falta. Existe um vazio a ser ocupado e o desejo cumpre essa função. Os verbos dão a pista.

– E quais são as pistas?

– Quando as intenções são como setas voltadas para você mesmo, os desejos estão do avesso.

– Desejos do avesso? Não estou entendendo nada!

O Velho Taful, sem pressa, limpou as lentes dos óculos.

– Os desejos podem existir para preencher algo que lhe falta, como dinheiro, fama, poder, prestígio.

– Velho Taful, espere aí! O que tem de errado se esses forem os meus desejos?

– Imagine que o seu desejo seja acumular dez milhões de dólares antes de se aposentar.

– Estou imaginando – respondi, com os olhos embasbacados de cifrões.

– Imagine, agora, que você conseguiu.

– Estou fantasiando e achando isso muito bom!

– A partir daí, toda a sua atenção vai se concentrar em guardar a sete chaves a fortuna adquirida. Esse passa a ser o seu objetivo valendo-se de todo o aparato possível para não ser assaltado e roubado. Aquilo que, teoricamente, faria a sua felicidade, transformará a sua vida em um inferno. E tem mais: cadê o propósito? Acabou?

– Quer dizer que não posso desejar ser rico?

Sentia-me confuso. Não sabia das reservas financeiras do Velho Taful, mas ele tinha uma bela casa, boa qualidade de vida, além de prestígio e excelente fama entre as pessoas de seu meio. O que havia de errado nisso?

– A riqueza como propósito ou a riqueza como recompensa de um propósito? Eis a questão!

Parece que havia algo que eu ainda precisava compreender.

– Empregos ruins também são resultantes de tentar preencher as faltas.

– Sabe o que ouvi um dia desses? "Adoro meu emprego. O que odeio é o trabalho!" – e soltei uma boa risada. – Desculpe-me, foi uma piada para quebrar o gelo.

– Uma piada séria! – ele riu. – Tem gente que gosta do emprego, como garantia de sustento e de assegurar o que lhe falta, mas não do trabalho, pela responsabilidade envolvida.

– É, e não são poucos os que se sentem assim.

– Com isso, vai crise, vem crise, e algo nefasto não muda. A legião de desempregados de um lado, e a necessidade por trabalhadores, de outro.

– Anda lendo os jornais, hein? – provoquei-o, bem humorado.

– E precisa? Essa é uma história antiga. Resolver a equação parece ser simples, matematicamente. Basta encaixar a oferta com a demanda. Mas é tão difícil quanto misturar os rios Negro e Solimões.

– E por que é tão difícil? À primeira vista, a impressão era de que fosse fácil entender.

– A dificuldade está aí: são intenções muito diferentes. Quem procura emprego espera encontrar amparo, proteção e segurança. Almeja, portanto, suprir as suas faltas. As setas da pessoa estão voltadas para si. Não quer correr riscos, justamente, com receio de perder a razão de sua procura: o emprego. Fará de tudo para preservá-lo e se preservar.

– Triste realidade!

– O caminho da falta é o da carência, algo que se parece com desejo, mas não é.

– A carência é, então, o desejo ao avesso, certo?

– A carência é uma necessidade emocional que esconde o desejo essencial. Quando insaciável, torna o desejo inacessível.

– Mas as nossas carências fazem a gente correr atrás do que é preciso... – argumentei.

– É verdade, a carência também possui força e energia mobilizadora, assim como o desejo, mas não leva você ao melhor lugar. O problema está no sentido da seta. E o carente vai ser tomado pela acídia.

– Acídia? O que é isso?

– É o enfraquecimento da vontade. Nem vontade nem força de vontade. Acídia.

Cada palavra que o Velho Taful arranja, pensei com meus botões, mas ainda não estava convencido.

– Quem luta pela sobrevivência, por exemplo, não está vivendo o seu desejo, mas sim a sua carência. A carência é repetitiva e gera dependência. Desejo, por sua vez, implica criatividade.

– Mas, e aí, o que faço com a minha carência? Ela é legítima!

– Trate-a com carinho, mas não a alimente, senão ela absorverá toda a sua atenção e você não terá energia para os seus melhores desejos. A carência é uma péssima patroa. Não podemos deixá-la no comando.

– Está bem! Mas eu preciso do emprego, preciso do sustento, preciso sobreviver... o que fazer?

– Em vez de pensar no emprego, pense no trabalho. Trabalho é outra coisa. É risco, responsabilidade, compromisso. É dar a cara para bater, romper barreiras, furar bloqueios. É pensar alternativas, propor soluções, usar a criatividade. É realizar e contribuir para que os resultados aconteçam.

– Caramba! Fácil assim? – ironizei.

– Quem pensa em emprego, em vez de trabalho, não se fixa em lugar nenhum. Quem pensa em trabalho, em lugar de emprego, tem sempre uma vaga à sua espera. Mas isso só vai acontecer se a pessoa se orientar pela farta, não pela falta.

– A falta tem a ver com a carência, entendi. Fale mais sobre a farta...

– Se a falta representa o vazio a ser preenchido, a farta representa aquilo que você tem de sobra e pode oferecer.

– Desconheço o que eu tenho de sobra – lamentei, com sinceridade.

– E vai continuar desconhecendo, se ficar preso à falta – ele comentou, enquanto enchia os nossos copos de água. – Você tem dons, talentos, inteligências, tanto os que já conhece, como outros que sequer imagina, mas vai se dar conta quando agir para satisfazer os seus desejos e viver o seu propósito. Além disso, tem valores. Eles são as suas pedras preciosas.

Eu escutava, com profundo interesse e até entusiasmo.

– E nem estou me referindo a seus potenciais. Riquezas ocultas, à espera de revelação! Muitas daquelas que buscamos avidamente do lado de fora estão, mesmo, é bem lá dentro de cada um de nós.

Olhos nos olhos, o Velho Taful de certa forma tratava de me desafiar, enquanto cofiava o bigode:

– Se você for capaz de descobrir o seu potencial, também será capaz de imaginar a riqueza que ele pode gerar. Ao enxergar dessa maneira, mais profunda e profícua, poderá conter o ímpeto de olhar para as faltas e ficará apto a valorizar mais as fartas.

– Então, qual é o teste da farta e da falta?

– Você se refere ao segundo desígnio. Então vamos lá. O teste é o seguinte: o seu desejo existe para preencher as suas faltas ou para que você ofereça as suas fartas?

Silêncio. Não sabia como responder.

– Antes que você avalie os seus desejos, deixe-me acrescentar algo. A farta é diferente do excesso. Parece igual, mas não é. O excesso é para quem não acredita na farta.

A coisa estava se complicando. Queria saber aonde ele pretendia chegar.

– Olhe para os lados e veja como o excesso está tomando conta do cotidiano: a comida em exagero, a roupa desnecessária, o remédio sem prescrição, a produtividade máxima, o consumismo exacerbado. Tudo em demasia. É o excesso. Nada a ver com a farta.

De fato, o Velho Taful sabia o que estava acontecendo, mesmo sem se ligar nos noticiários.

– A era do demais, seja na produção ou no consumo desmesurado –, é resultado dos excessos. Pode parecer estranho, mas o excesso existe justamente pela falta de firme aposta na farta.

– Então, por incrível que pareça, está mais relacionado à falta do que à farta.

– É isso mesmo. Assim como a falta, ele se origina na visão de escassez. O excesso existe no mundo de fora para compensar a escassez que habita o mundo de dentro. "Mais para mim" é o mantra do excesso.

O Velho Taful foi ainda mais fundo dessa vez.

– A farta, por sua vez, não requer artifícios. É a prova de que a vida é boa e bela, naturalmente. Ela vive nas mentes desenvolvidas de quem foge dos excessos e nos corações generosos dos que sabem dividir e pensar também nos outros.

Observei atentamente meus três desejos enquanto escutava o Velho Taful.

– Excessos podem produzir fortunas, mas as fartas geram farturas: de oportunidades, riscos, boas ideias, talentos, riquezas.

Entendi que ainda não havia chegado lá. O Velho Taful dava-me boas dicas para que eu pudesse avançar mais em minhas descobertas.

– A farta é a abundância que habita o mundo de dentro para, então, expressar-se como fartura no mundo de fora.

– Depois dessa, vou precisar rever os meus desejos.

O Velho Taful sorriu, como se já soubesse que isso iria acontecer.

8
Olhar apreciativo

Mórbido não estava gostando nada daquilo. Ele fazia o seu papel no mundo e, por isso, a falta imperava em todos os lugares e mentes. Mórbido argumentava com veemência. "Veja os médicos: tratam mais da doença do que da saúde. Os advogados: tratam mais do crime do que da ética. Os guardas de trânsito: tratam mais das penalidades do que da educação dos motoristas, ao volante".

Talvez porque acreditem que a doença é o oposto da saúde, o crime é o oposto da ética, e a multa é o oposto da perícia. E que, ao aprender sobre a doença, o crime ou a contravenção, compreende-se, também, o que é saúde, ética e aptidão. As conclusões se sucediam com uma lógica assustadora. Mórbido sabia como enganar. Eram, mesmo, coisas diferentes, de maneira que a lição vinha sempre enviesada, não direta e nem completa. Podia inclusive, ser contraproducente.

Na empresa em que eu trabalhava, Mórbido corria solto, dominante e predominante. Soberano, até. Os líderes estavam muito mais focados nos erros do que nos acertos. Como se estes fossem inadmissíveis e, aqueles, nada menos que obrigações. Constate por si como erros dão mais assunto do que acertos. Isso vale tanto para os noticiários da mídia como também para as conversas na empresa. Veja as pautas das reuniões das quais participa. Verá que estão mais voltadas para a resolução de problemas do que para a produção de ideias.

Depois que o Velho Taful mostrou a diferença entre emprego e trabalho, eu prestava ainda mais atenção a algumas frases. Veja esta: "eu só trabalho aqui". Decerto, alguém que anseia se preservar, livrar-se da culpa e se isentar do risco. Ressalva típica de quem escolheu o emprego ao trabalho. Mais uma: "esse não é o meu departamento", revela a intenção de se esconder sob o guarda-chuva do não-tenho-nada-com-isso. "Essa é a norma da casa", demonstra uma atitude de defesa de quem quer distância da responsabilidade. "O senhor precisa reclamar na empresa", eu ouvi de alguém que trabalha exatamente no lugar em que se recomenda procurar. Retruquei indignado: "mas você não faz parte da empresa?". Estava diante de um funcionário que não se considerava integrante da instituição que o contratou e paga o seu salário.

O Velho Taful que me desculpasse, mas notei que Mórbido estava muito presente, em tudo e em todos os lugares.

A parte vazia do copo não ensina como se faz para ser enchida. Apenas informa a falta. Nada diz sobre a farta. Os potenciais humanos não são assuntos do dia a dia. Oras! Quem estranharia? Afinal, todas as atenções estão concentradas em captar erros, perceber defeitos, identificar disfunções, localizar não conformidades, prever anomalias. É sempre o Mórbido roubando a cena – seja no passado, em minhas memórias, ou no presente, quando se instala em alguém, sorrateiramente. Os olhares, de tão viciados na mesmice, não conseguiriam perceber a existência de algo inusitado, extravagante e inovador. Se esbarrassem nesse óbvio, seriam incapazes de notá-lo. Mesmo que fosse uma oportunidade de ouro!

Mórbido insiste em que se adote o "olhar biruta", aquele sem foco, desnorteado e, quando encontra uma direção, escolhe a falta. Será que os desejos não são carências disfarçadas? Mórbido é craque em acionar a criatura que mora dentro de cada um de nós. O medo de, por ausência de uma profissão, não ser respeitado nem prestigiado. O medo de ser pobre e sair pelo mundo mendigando ajudas. O medo do tédio e de gastar o tempo em tarefas enfadonhas. Se o medo está no comando, a acídia é certa.

Mas o Velho Taful ensinou-me o "olhar apreciativo", aquele que busca enxergar a parte cheia do copo ao invés da vazia. Não se trata de ignorar a parte vazia, e sim impedir que ela nos retenha. Por mais avassaladora que seja a escassez reinante ao redor, sempre existem fios de abundâncias que ajudam a reconstruir a história.

Fiz a mim mesmo perguntas que colocassem em xeque os meus desejos. Estou em busca de quais resultados? Sou guiado pelo que me falta ou pelo que me farta?

Passei a não negar os medos e emoções negativas que sentia quando Mórbido invadia a minha mente, mas estava disposto a experimentar um novo olhar. Seria possível, mesmo que o senso comum indicasse o contrário?

9
O terceiro desígnio

Estava ansioso, mas, ao mesmo tempo, desafiado com o exercício de pensar e repensar o que havia definido inicialmente. Como bom gênio da lâmpada, mestre Taful não deixava por menos. Tinha sempre um novo desígnio para esculpir os meus desejos e, enquanto isso, o meu propósito estava sendo construído. Havia nesse percurso um misto de suspense e mistério. Qual será o resultado final? Daquela vez, nem esperei que ele terminasse de preparar a bebida olorosa em sua cafeteira italiana. Fui logo apresentando meu trio reformulado:

> *1º Desejo: oferecer os meus talentos para conquistar uma profissão promissora.*
> *2º Desejo: aprender sobre finanças e negócios para saber ganhar dinheiro.*
> *3º Desejo: buscar novos desafios que me permitam descobrir atividades bem a meu gosto.*

– Hummm! – ele murmurou, como se tivesse sentido o cheiro de uma boa comida. – Um criador oferecendo, aprendendo e buscando as suas fartas! Bons verbos! Boas intenções! Muito bem!

Animado e disposto a tirar a limpo, reafirmei com ênfase:

– Eu ofereço os meus talentos, aprendo coisas novas, busco desafios – salientei. – Eu sou o protagonista desta história. Tudo o que quero é ser útil, hoje e no futuro.

– Hummm – voltou a murmurar o Velho Taful, cofiando o bigode, agora com um tom de resmungo, como se a comida não cheirasse tão bem.

– Pensei que havia apreciado – hesitei.

– Está tudo bem, mas essa sua última frase denunciou uma intenção que precisa ser ajustada.

– Qual frase?

– Essa de querer ser útil hoje e no futuro.

– Imaginei que gostaria dessa intenção mais altruísta...

– Você está armando uma gaiola para ficar preso dentro dela.

– Gaiola?

– A gaiola é uma armadilha. A armadilha de se fazer útil.

– Não entendo...

– Ser útil parece ser um desejo louvável, à primeira vista. O problema é que você se transforma em um utensílio, semelhante aos demais que usamos na cozinha, na despensa ou na oficina.

– Desculpe-me, ainda não consigo compreender.

– Se você quer ser útil, logo vai se parecer com um garfo, uma colher, uma faca, um martelo, um alicate, uma chave de fenda. As ferramentas são úteis, servem para fazer coisas específicas, mas depois são descartadas e aposentadas.

– É assim mesmo que as coisas funcionam.

– Tem sido, é certo, nas empresas que tratam as pessoas como um recurso que, somado aos demais, compõe um item de custo no balanço, algo a ser reduzido ao máximo.

– Exatamente como observo naquela em que trabalho.

– Quem é útil tem valor de uso, que diminui com o tempo ou à medida que surgem utensílios similares, porém mais avançados. Os utensílios se parecem. É sempre bom lembrar.

– Entendi. Sendo útil, torno-me igual aos outros, deixo de ser único.

– E passa a ter, em vez de valor de uso, valor de troca. Quem pensa ser útil concentra nisso a sua capacidade de sobreviver. É tudo o que consegue. Quem escolhe sobreviver não é capaz de pensar em outra coisa.

– Daí a velha luta pela sobrevivência, sobre a qual já conversamos.

– Sim, e quem é útil busca a manutenção e a conservação de sua utilidade.

– Para continuar sendo útil, como uma máquina – acrescentei. – Por que, então, grande parte das pessoas quer ser útil e se deixa engaiolar?

– Ora, porque faz para si a pergunta errada.

– E qual é a pergunta errada?

– "O que funciona?", esta é a pergunta errada. O garfo funciona, a colher funciona, a faca funciona assim como o martelo e o alicate – ele exemplificou. – Perguntas erradas conduzem a respostas erradas. Perguntas certas levam a respostas certas.

– E qual é a pergunta certa? – eu questionei, sem conter a minha ansiedade.

Sem pressa, o Velho Taful levantou-se para servir o café. Já conhecia seu estratagema. Sempre que a minha pulsação aumentava, dava um jeito de apaziguar os ânimos inserindo um intervalo. Sabia que o estado de espírito conta muito para a melhor compreensão e aprendizado.

Em poucos minutos, ele serviu como num ritual. Depois da degustação, lenta e prazerosa, agradeceu à Ritinha, sua inseparável cafeteira italiana, por seus préstimos.

– Isso é que é gratidão! – eu comentei, achando esquisito.

– Há anos, Ritinha me oferece esse prazer diário, então sou muito grato a ela. É minha companheira de reflexão, dúvidas, tristezas e alegrias.

– Puxa! Quanta consideração! – continuei, com uma ponta de ironia.

– Uma coisa precisa ser compreendida, Aladim – sabia que quando me tratava pelo codinome, logo vinha algo que ele queria que eu prestasse muita atenção. – Uma empresa-objeto vai tratar o empregado como objeto, o cliente como objeto, o fornecedor como objeto, o investidor como objeto, a comunidade ao redor como objeto, a sociedade como objeto, o planeta como objeto. Todos serão coisificados, inclusive o próprio empreendedor desse negócio objeto. Ou seja, também ele vai se relacionar consigo como faz com tudo e todos.

"O mundo como ele é!", pensei, conformado.

– Por outro lado, um empreendedor-sujeito vai empreender um negócio-sujeito, que vai tratar como sujeitos o colaborador, o cliente, o fornecedor, o investidor, todos, enfim. E isso inclui a comunidade ao redor, a sociedade, o planeta, o cosmo.

O Velho Taful falava com propriedade. Além de escritor e intelectual respeitado, também era empresário e conhecia de perto as funções e disfunções de uma empresa. Tinha, no entanto, um olhar lateral, que sempre me surpreendia, sobre essa realidade.

– A empresa é, nos dias de hoje, o lugar mais impactante para promover o desenvolvimento humano enquanto se constrói riqueza – ele continuou. – É na empresa que temos o adulto com autonomia, capaz de fazer escolhas conscientes.

– Isso, quando ele deixa de ser criatura – acrescentei.

– Sim, certamente. É a partir dessa comunidade de trabalho, denominada empresa, que podemos mudar a comunidade maior, conhecida como sociedade, e outra, ainda mais ampla, a que damos o nome de Humanidade.

– E como isso pode ser feito?

– Deixando de ser útil, deixando de ser objeto.

– E qual é a alternativa? – perguntei, com a curiosidade em alta.

– Ser contributivo!

– Ah, mas ser útil e ser contributivo não é apenas um jogo de palavras?

– Nada disso! Quando quer ser útil, você olha para fora e procura a porca ou o parafuso a ser apertado. Quando quer ser contributivo, você olha para dentro e procura em si mesmo o que pode ser oferecido, seus dons e talentos, suas inteligências, você por inteiro, seus valores e virtudes. O que faz de você o único ser capaz de fazer o que faz.

– A farta no lugar da falta! – concluí.

– Sim, mas aqui estamos diante do terceiro desígnio: o sujeito e o objeto. Você se livra do estigma do objeto, do mundo das coisas, e adentra na vida dos sujeitos quando faz a pergunta certa. Não mais "o que funciona?", mas "o que importa?"

– Então essa é a pergunta certa! – reafirmei, animado como se tivesse descoberto um segredo.

– Você vai descobrir que o que importa constrói outra história: a de ser antes de ter, pois ser sujeito é o que verdadeiramente importa.

Mil questionamentos me invadiram! Será que estava me formando para ser objeto? Será que estava buscando uma carreira de utilitário? Será que, depois de não servir para mais nada, eu mesmo iria me encostar em algum canto e chamar isso de aposentadoria? Como me sentiria quando não fosse mais útil?

– Ser útil remete à utilidade. Ser contributivo remete à fecundidade.

"Ser fecundo!", – pensei, entusiasmado. Puxa! Ser fecundo a vida toda, é isso que eu quero!

– Ser útil é ser incompleto. Ser contributivo, Aladim, é ter consciência de que somos seres inacabados e que existe dentro de cada um de nós um devir, um vir a ser, uma busca.

Pausa.

O Velho Taful retomou sua linha de pensamento, em tom manso, como se estivesse contando um segredo.

– Somos uma promessa de evolução, fecundos e, se bem cultivados, vamos fazer aflorar riquezas inimagináveis.

Senti-me incandescer, a começar pelo brilho que sentia cintilar nos olhos.

– O que verdadeiramente importa – continuou, ainda em tom confessional – é saber que nós nos transformamos naquilo que cultivamos. Em sujeito ou em objeto.

– A seta e o alvo novamente – lembrei.

Silêncio.

– Vamos ao teste do terceiro desígnio? Os seus desejos estão mais para o que funciona ou para o que importa?

– Ou seja: meus desejos me fazem mais útil ou contributivo? Fazem-me mais sujeito ou objeto? – eu complementei.

Enquanto refletia, o Velho Taful veio com outros desafios.

– Ah! Antes de que me esqueça: você já agradeceu, hoje, às pessoas que o ajudam, tanto às que já conhece como às que ainda não conhece? E às coisas que facilitam a sua vida: a bicicleta, a caneta, o copo-d'água, a mesa de trabalho?

Claro que não! Eu nem ao menos me dava conta da existência dessas coisas tão cotidianas. O Velho Taful estava exercitando a minha atenção.

– Ao invés de transformar pessoas em objetos, e fazemos isso quando sequer lembramos seus nomes, deveríamos pensar em transformar objetos em sujeitos – ele sugeriu, enquanto, com todo cuidado devolvia Ritinha ao armário.

O Velho Taful apontou em direção à tela do São Francisco tropicalizado:

– Para ele, tudo era sujeito: o Sol, a Lua, o lobo, a chuva. Chamava de irmãos. Irmão Sol, Irmã Lua, Irmão Lobo, Irmã Chuva.

Contemplei, em êxtase, a imagem e seu exuberante colorido.

– Você se transforma naquilo que cultiva, em sujeito ou em objeto – ele repetiu, oferecendo mais uma de suas lições, válidas para o resto de minha vida.

10
Olhar empático

O terceiro desígnio causou forte impacto não somente sobre os meus três desejos, mas também em minha relação diária com a vida. Não havia me dado conta da ausência de atenção e gratidão por tudo e por todos os que me cercam. Nem tampouco dos relacionamentos fugazes com pessoas e coisas. Exemplos existiam a perder de vista. Alguns? Ainda desconhecia o nome daquela senhora que me atendia, há anos, quase diariamente, no caixa da padaria. Da mesma forma, não sabia como se chamava o guarda da noite que ficava na guarita do prédio onde eu morava ou, mesmo, o vizinho, no apartamento ao lado.

O terceiro desígnio deu muito pano para a manga e ainda prometia mais. O Velho Taful havia viajado novamente, então a Montevidéu, para participar de um encontro cultural latino-americano que reunia escritores, pintores, filósofos e cientistas. Deixou-me uma carta, que reli várias vezes, discorrendo sobre o terceiro desígnio.

Ilmo. Aladim

O terceiro desígnio, do sujeito e do objeto, é determinante em nosso percurso rumo ao propósito. Então, gostaria de alertá-lo sobre algumas ciladas a evitar. E digo por experiência própria. Fácil, fácil, a gente troca os fins pelos meios. Ou os meios pelos fins, o que dá na mesma.

É assim: você acredita na bondade e pensa na filantropia como um meio. Logo as coisas mudam de lugar e a bondade se transforma em meio para promover a filantropia. E fica faltando um tiquinho para se esquecer da bondade, tendo a filantropia como fim e uma porção de burocracia ao redor. Constate a origem de tantas entidades filantrópicas, para resgatar quais eram as suas primeiras intenções, e veja agora a que estão reduzidas.

Trocar os fins pelos meios é um equívoco bastante comum. Acontece o mesmo com a política. Duvida? Política é a arte ou a ciência da organização, direção e administração da pólis, *ou seja, literalmente, a cidade, o estado ou a nação. Um meio, portanto, para construir uma sociedade mais justa. Pois veja no que ela se transformou. Em um fim e em profissão para muitos corruptos e demagogos.*

Existem os fins e os meios e cada um devia ficar em seu devido lugar, como o calor é consequência, e não causa, do fogo. Outro exemplo é o trabalho. Deveria ser um meio de gerar riquezas. Para muitos, tornou-se um fim. Feito de sangue, suor e lágrimas. Ao final, sem nenhuma riqueza. Apenas a lida. Alguns chegam a se viciar e não conseguem viver sem ele. Trabalho é um meio de gerar riquezas materiais, emocionais, espirituais. Sobretudo, de crescer e fazer crescer.

O dinheiro também é uma armadilha comum. Criado para ser meio, transformou-se em fim. E corre-se atrás dele como se fosse a única coisa a ser feita na vida. Inclusive gerou uma nova escravidão. Há os que têm dinheiro e os que são o dinheiro.

Entre as empresas, muitas esqueceram os seus fins, de gerar riquezas e de colocar-se a serviço, e se transformaram em meios burocráticos de contabilizar ganhos e custos e recolher impostos. Nada além de uma triste planilha.

Veja o atual modelo econômico, que só se sustenta por meio do crescimento ilimitado em um mundo limitado.

Então, para frisar, existem os meios e os fins. Mas de todas as distorções, nenhuma é maior do que aquela que transforma sujeitos em objetos. Vale lembrar o grande filósofo Immanuel Kant: "A fonte da integridade é nunca fazer do outro um meio".

Pois "fazer do outro um meio" é o pecado maior da humanidade. Que é um fim em si, tendo a economia como meio, e não o contrário.

Considere essas reflexões para reelaborar os seus três desejos.

Na volta, poderemos compartilhar bons momentos com o melhor mate produzido no Uruguai.

Do seu,

Velho Taful.

Em seu jeito de educar, ele não intervinha diretamente sobre meus desejos, mas expunha os elementos para que eu mesmo tomasse uma posição. Fazia-me criador, com olhos na farta, e me tratava como sujeito.

As instigantes conversas com o Velho Taful ajudavam a ampliar o meu campo de visão. Reconheço, agora, que os meus problemas ou desacertos decorriam do que eu não conseguia ver. Do que me escapava e, por isso, ignorava. Agia e reagia só diante do que conseguia enxergar, ou seja, um espaço muito restrito que oferecia, quando muito, uma visão bem parcial da realidade.

Pude constatar essa parcialidade depois que comecei a praticar o "olhar apreciativo", aquele que se prende mais às fartas do que às faltas. Eu não prestava atenção nem me dava conta de tanta coisa!

A partir do terceiro desígnio, o Velho Taful me propôs um novo desafio: a prática do "olhar empático", ou seja, ver a partir do olhar do outro.

Compreender essa proposta não era tão difícil como praticá-la, sair de si para aceitar ou, no mínimo, experimentar, o olhar alheio. Alteridade, ensinava o Velho Taful, é a condição do que é outro, do que é distinto. É saber lidar com o contraste e com as diferenças. Fácil de falar, árduo de realizar, constatei.

O "olhar empático", assim como o "olhar apreciativo", é uma excelente estratégia para ampliar o campo de visão, adotando a perspectiva de outra pessoa. Exige treino, pois facilmente resvalamos novamente para o egoísmo, um vício bem arraigado.

Queria mostrar ao Velho Taful, quando ele retornasse de Montevidéu, os meus três desejos reformulados. E, enquanto isso, passei a treinar o "olhar empático" em meus relacionamentos.

Essa era a minha vontade apoiada em genuína força de vontade. É isso o que eu queria... não fossem as artimanhas diabólicas de Mórbido, sempre disposto a interferir negativamente. A passagem do tempo, em seguida, mostraria muito bem como eu caía em suas armadilhas.

II

Retorno ao lar

Preparava-me para dormir, depois de uma árdua e tempestuosa semana, quando o telefone tocou, já tarde da noite. Era o Velho Taful.

– Aladim, o que aconteceu? Retornei de Montevidéu há quase um mês e você nem se deu conta. Está tudo bem?

– Desisti dos nossos encontros. Acho que não vamos chegar a lugar algum. Talvez o propósito da vida seja não ter propósito nenhum. É muito esforço para pouco resultado, muita elaboração para pouca realização. As contas para pagar não dão trégua. São concretas e inadiáveis, diferente dessa abstração de desejos e propósitos. E, lá na empresa, as cobranças não cessam. Enfim, isso aqui é uma selva! E, na selva, o que conta é "salve-se quem puder!".

Enquanto eu desfiava o rosário, o Velho Taful permaneceu mudo. Resolvi fazer uma pausa. Depois de um ligeiro silêncio, ele propôs:

– Que tal uma noite de sono e uma caminhada pelo parque amanhã cedo? Uma conversa ao ar livre vai lhe fazer bem!

Hesitei, resmungando, mas ele insistiu e resolvi topar, a contragosto.

Cheguei com atraso ao nosso encontro. Havia perdido a hora, pois o cansaço e a preguiça me deixavam letárgico. O Velho Taful fazia alongamento, apoiado em uma árvore. Sorriu, mas eu não correspondi. Estava irritado e sem a menor disposição de caminhar. Preferia ter ficado na cama. Nem mesmo o afetuoso abraço com o qual ele me recebeu foi capaz de me animar. Mesmo assim, arrastei-me tentando seguir os passos vigorosos dele, que, apesar da idade, esbanjava energia.

Caminhamos por alguns minutos em boa cadência, quando ele interrompeu o silêncio.

– Tomou café em casa?

– Sim, para acordar. Estava com muito sono.

– Ah! Mas não deve ser tão bom como o da Rita – riu-se, fazendo referência à sua cafeteira italiana.

– É – respondi, secamente, sem achar graça.

– E você se lembrou de desligar o fogão? É perigoso deixar bules e chaleiras à mercê da chama, quando saímos de casa.

– Claro que desliguei!

– Tem certeza? Muitas vezes fazemos as coisas no piloto automático, nem nos damos conta.

– Acho que apaguei o fogo.

– Você não tem certeza?

– Agora estou em dúvida, estava muito sonado e saí com pressa, bem atrasado.

– A pressa nos deixa desatentos, inclinados a fazer coisas sem consciência.

– Meu Deus! Agora já estou achando que deixei o fogão ligado! – elevei a voz, apavorado, ameaçando dar meia-volta.

– Calma! Calma! Provavelmente deve ter apagado o fogo, por força do hábito. Mas o que você está sentindo neste momento?

– Medo! – respondi de imediato, agora totalmente desperto.

– E isso só porque eu cogitei uma probabilidade, pois nada está acontecendo de concreto.

– É, espero que não – retruquei, começando a entender as intenções do Velho Taful.

– Avalie, no entanto, o seu efeito. Diante dessa probabilidade, você não está mais aqui. Não sente os seus passos e perdeu o sentido da caminhada.

– É verdade – dei-me conta.

– Não consegue mais prestar atenção ao que acontece no parque nem é capaz de resolver o problema que eu arranjei para você.

– É verdade – repeti, reconhecendo as emoções que vivenciava, naquele instante.

– Com medo, sua atenção perde a força. Está dividida entre o aqui e o lá fora.

É o Mórbido, pensei. O danado me pegou, ele não desiste!

– O medo faz parte da história. Medo externo e interno. Da crise, da competição predatória, da escassez. Da inadequação, do ridículo, de não dar certo, de dar certo.

– Ele sempre vai estar presente?

– Você vai sentir medo. É inevitável. Faz parte do jogo. Terá, então, de distraí-lo, com algo que seja mais poderoso do que ele.

– E o que é mais poderoso do que esse estraga prazeres?

– O desejo.

– Mas e os três que já declarei? Não são suficientes para dar conta do medo?

– Às vezes, podem ser inspirados pelo próprio medo. Isso acontece quando o desejo é de criatura, não de criador, ou voltado para a falta e não para a farta, ou, ainda, um desejo de objeto, não de sujeito.

Sim, eu já havia reconhecido esse viés em meus desejos.

– O desejo é a sua ambição, a sua intenção, é onde está a sua libido. É o sonhar acordado.

– Caso contrário – eu concluí –, é um desejo que não elimina o medo.

– Isso mesmo. Está aí o seu desafio, Aladim: tornar o desejo mais forte do que o medo.

– E como saber?

– Vamos fazer um teste: você se aventuraria a subir em uma escada sem saber aonde ela vai dar?

Silêncio.

A pergunta era provocadora. Fui sincero, ao retrucar:

– Não estou seguro de que a minha resposta seja sim.

– Os desígnios estão ajudando você a tornar o desejo mais forte do que o medo. Mas nada de parar no meio do caminho! São cinco estações, lembra-se? Até agora, só passou por duas, e ainda tem de ajustar a sua rota com o terceiro desígnio. Precisa continuar subindo a escada.

Havíamos contornado algumas vezes o lago do parque onde fazíamos a caminhada, sem que eu notasse. Bem desperto, agora estava atento à conversa.

– Conheci, em Montevidéu, um escritor uruguaio de boa prosa.

– Quem é ele?

– Chama-se Eduardo Galeano. Um autor extraordinário!

– E daí?

– Pois ele me contou uma história que se passou em nosso país, mais precisamente no estado do Ceará. No tempo dos que nasciam marcados para morrer.

"Será que isso mudou?", pensei, ensimesmado.

– Quando os donos do lugar resolveram acabar com o facínora mais perigoso que havia por lá, deram o serviço para um cangaceiro que acumulava um bom currículo de vítimas fatais. Mas trataram de advertir: esse vai ser muito difícil, porque é bem guardado por seus fiéis capangas. E aí, para se certificar de que não haveria desistência, perguntaram ao matador: "Você continua disposto, tem coragem para isso?". Ao que o justiceiro prontamente respondeu: "Coragem, não sei... tenho é o costume".

Foi a minha primeira risada do dia.

– É isso, Aladim! Trate de rir do medo e de acostumar-se a manter o desejo sempre acima dele, para que ele saiba onde é o seu lugar. A atitude vem antes, a coragem vem depois.

Aquela manhã foi como um lampejo de ânimo. Às vezes, o que a gente precisa é de alguém que nos diga "não vá por aí, vá por aqui". Alguém que esteja ligado na gente. Alguém que saiba dos nossos medos, dificuldades, anseios e desejos. Mas que também conheça nossas intenções e potenciais. Alguém que nos ajude a colocar ordem nesse caos que é o mundo. Alguém que nos auxilie a compreender aquilo que, sozinhos, não conseguimos captar. Alguém que nos incentive a evoluir.

Eu estava, justamente, em busca de uma direção, de um sentido. Necessitava de uma presença que alimentasse a minha esperança.

Sem um modelo e uma referência, sentia-me como órfão largado no mundo. Queria auxílio para evoluir e uma pessoa disposta a estar a meu lado, nessa trajetória.

Precisava de ajuda para crescer. Era muito difícil fazê-lo por conta própria. Carecia de alguém que me oferecesse significado e inspiração. E que, ao mesmo tempo, me aceitasse do jeito que eu era, compreendendo meu momento. Mais: que se dispusesse a contribuir com o meu progresso. E que me ajudasse a ter força e serenidade. Um guia para os meus passos e capaz de me conduzir com sabedoria, de me preservar com equilíbrio e de me confortar com a sua experiência.

Alguém cujas palavras penetrassem fundo em meu coração. Alguém, enfim, que me livrasse do peso do abandono, recebesse-me em sua casa e me auxiliasse a ter uma identidade.

Estava desejoso do retorno ao lar.

Gratidão, Velho Taful! Era o que meu coração dizia baixinho.

12
De atalhos e caminhos

Retomei as conversas no ateliê do Velho Taful como quem volta para casa. Lá estava ele pitando um chimarrão com a erva que havia trazido do Uruguai. Na vitrola, o som de uma milonga gaúcha, música tradicional daqueles rincões. Apreciava as telas de Vilaró que havia trazido de lá.

– Bom dia, Aladim!

– Bom dia, trouxe os meus três desejos revistos de acordo com o terceiro desígnio.

– Antes, escute essa milonga e dê uma provada no mate – disse, tranquilo, passando-me a cuia.

Na manhã fria de inverno, a música e a erva de boa qualidade formavam uma dupla perfeita.

– Milonga, para mim, é outra coisa. É algo ligado à manhas e artimanhas.

– Ah! É verdade! – ele riu. – O termo milongueiro define o sujeito malicioso, manhoso.

– Tá cheio de milongueiros por aí – comentei, enquanto sorvia o mate.

– Quando você se fragmenta ou vive uma identidade emprestada, os seus desejos se diluem e perdem a força. Afinal, quem é você? Quem é o "você" que deseja? De quem são os seus desejos?

– Se eu sou sujeito, são desejos do eu-sujeito. Se sou objeto, são desejos do eu-objeto – complementei, referindo-me ao terceiro desígnio.

– E se são desejos de você-sujeito, provavelmente são mais próximos de sua essência. Se são desejos de você-objeto, provavelmente são mais próximos de sua identidade.

– E como saber?

– Os desígnios ajudam muito você a discernir. A terceira estação, onde paramos, é determinante da bifurcação entre a essência e a identidade.

– Velho Taful, pode deixar mais claro, por favor?

– Identidade tem a ver com os seus papéis sociais. Uma profissão lhe dá uma identidade, mas pode não ter nada a ver com a sua essência. Ser pai ou mãe é um papel social, mas talvez não se refira a sua essência. Padre, soldado, militar, estudante, empresário, idoso, deficiente, líder expressam papéis, funções, condições. Fazem parte da identidade, não necessariamente da essência.

– É difícil não ter uma identidade.

– Sim; fácil, não é mesmo! Os modelos sociais e profissionais se caracterizam por inúmeras identidades. Mas está aí mais um desafio: não deixar que elas encubram a nossa essência. Ser quem verdadeiramente somos é o que vai nos libertar das tantas gaiolas em que nos prendemos.

– Quer dizer que preciso reencontrar a minha essência?

– Esse é o retorno ao lar. Ser quem você verdadeiramente é.

O Velho Taful encheu novamente a cuia com a água quente da chaleira.

– Nossa identidade nos desvia do caminho. Prefere o atalho ao caminho. O atalho pode nos oferecer, rapidamente, sentimentos de vitória e orgulho por conquistas. Tudo isso, porém, é mera ilusão e, como tal, embota a visão a ponto de nem percebermos que o atalho não é o caminho.

– O problema é persistir no atalho – eu comentei.

– Principalmente quando ele nos afasta, cada vez mais, do caminho. Até perdê-lo de vista. É quando passamos a acreditar que o atalho é o caminho. E nos perdemos nessa trilha equivocada, sem chance de retorno.

– Eu vou saber diferenciar o atalho do caminho?

– Existem algumas pistas. O caminho não carece de estímulos externos como aplausos, elogios, troféus, apreciações. Condecorações são tão sedutoras quanto efêmeras. Ao contrário do atalho, o caminho é feito com coerência e firmeza de caráter. É orientado pela consciência, aquela que tudo vê e tudo sabe.

– Coerência! – repeti em voz alta, sem que me desse conta.

– Sim, coerência. Trilhado com coerência, o caminho vai levá-lo à sua essência, onde moram os seus desejos mais íntimos e legítimos.

– Mas isso pode levar muito tempo.

– O devido tempo, que tem um gosto especial. E deve ser vivido sem pressa.

– Voltando ao assunto, Aladim, mostre-me os seus três desejos, depois do terceiro desígnio.

Sem titubear, declinei um por um:

1º Desejo: viver a minha vocação.
2º Desejo: ser rico de verdade.
3º Desejo: aprender a gostar do que precisa ser feito.

– Puxa! – ele exclamou, novamente cofiando o bigode. – Parece que estamos diante de uma boa evolução! Para me certificar, fale-me sobre eles.

– Viver a minha vocação! Compreendi que a vocação é mais importante do que a formação e a escolha da profissão. Estou certo?

– Sim! A profissão é algo fora de você, instituído em algum momento histórico e que muitos outros podem exercer. Já a vocação é só sua, de mais ninguém, e você pode oferecê-la em várias atividades e situações.

– Ou seja, a minha vocação é única e insubstituível.

– Tem gente que dá muito valor ao currículo. O que já fez, estudou, vivenciou etc. Os empregos que teve, as funções exercidas, os cursos e treinamentos dos quais participou, os títulos e condecorações conquistados.

– É o que leva em consideração o departamento de recrutamento e seleção, na empresa em que trabalho.

– Currículo é passado, apenas memória. Pode funcionar como lastro para desafios futuros, mas sem nenhuma garantia de que dê certo, outra vez. A velocidade das mudanças é tão grande que as vivências de antes se transformam em efemérides.

– Efemérides! Fazia tempo que não usávamos essa palavra.

– Não que o currículo seja totalmente inútil – ele continuou, sem dar bola para o meu comentário –, mas nem de longe supera a potência da vocação. A sua vocação é mais importante e superior ao currículo, em força. Pode ser, até, que nem seja preciso usar o que se passou, mas sim algo novo, que você só vai descobrir quando viver o seu propósito.

– Quer dizer que o futuro depende menos do currículo e mais da vocação e do propósito.

– Sem dúvida!

– Então, a identidade anseia por uma profissão e um currículo, mas a essência oferece a vocação?

– Certamente, meu caro Aladim. Você compreendeu muito bem!

– Poderíamos dizer também – comentei, dando mostra de ser um bom aprendiz – que eu sou sujeito da minha vocação. A partir dela, darei contribuições únicas.

Se depender de minha profissão, poderei ser apenas útil, como tantos.

– Sim, existe esse risco. Mas você pode ter uma profissão em que viva alegremente a sua vocação. Por outro lado, pode escolher uma profissão em que sua vocação não se expresse parcialmente ou mesmo por completo. Todas as profissões podem ser transformadas em vocações, mas nem toda vocação pode ser transformada em profissão.

– Então estou no caminho certo. Melhor é ater-se à vocação.

– Sim, e o próximo desígnio vai lhe trazer complementos. Fale-me de seu segundo desejo – ele quis saber.

– Ser rico de verdade! A palavra riqueza costuma remeter a dinheiro. Esse era o meu desejo anterior. Notei que estava me colocando mais como um objeto que troca a sua utilidade por dinheiro. Comecei a me sentir um objeto de transação.

– E aí? – questionou o Velho Taful com o olhar vivaz e os sentidos aguçados, sempre cofiando o bigode.

– Aí que o terceiro desígnio colocou-me no ponto de vista do sujeito. Como sujeito, entendi que a riqueza de que necessito é mais ampla, não apenas material. Quero também uma riqueza que seja, além de corpo, também de mente e alma.

– Ou seja, uma riqueza intelectual, moral, espiritual... É isso que você considera ser rico de verdade?

– Exatamente. É isso mesmo, além de ganhar dinheiro – sorri.

– E o terceiro desejo?

– Aprender a gostar do que precisa ser feito! É que se eu ficar procurando exclusivamente o que eu gostaria de fazer, posso deixar de lado o que precisa ser feito. Então, melhor é aprender a gostar do que precisa ser feito.

– Isso é coisa de sujeito... e de quem quer contribuir... – completou o Velho Taful, orgulhoso das minhas reflexões.

– É isso mesmo.

– Muito bem, Aladim! Um belo avanço. Acho que podemos seguir para o quarto desígnio.

– Estou curioso para conhecê-lo.

– Então vamos, sem pressa e sem atalhos, seguindo o caminho e as suas estações.

13
O melhor líder de todos os tempos

Curioso, eu aguardava o quarto desígnio. No meio tempo, uma bela notícia: fui promovido a um cargo de liderança. Eu, um líder! Telefonei de imediato ao Velho Taful, comunicando a boa nova. Dias depois, ele me enviou uma breve missiva, como costumava chamar suas cartas, em que comentava o meu novo papel. Dizia assim:

Ilmo. Aladim

Chefe, principal, maioral, capitão, cabeça, caput, *capo, mestre, patriarca, prócer, comandante, dirigente, coordenador, orientador, guia, mandante, gerente, diretor, presidente, rei, imperador, cacique, caudilho, mandachuva, morubixaba, tuxaua, czar, sultão, soberano, governador etc. Nomes, apelidos e alcunhas não faltam para identificar quem manda ou exerce influência.*

Ao longo da História, encontramos bons e maus monarcas, bons e maus chefes de estado, bons e maus gestores. O que sempre diferenciou um bom líder de um mau líder foi o exercício da liderança, não a denominação.

Nas empresas, a ciência da administração sempre teve grande influência sobre a concepção do perfil ideal de líder e empresta-lhe, agora, uma nova alcunha: o administrador.

Mesmo que se queira dar uma base científica à função do administrador, o que verdadeiramente importa na prática da liderança vem das mais remotas eras. Dos tempos em que o líder se sentava ao redor de uma fogueira junto de seus liderados e, nesse ambiente aquecido e acolhedor, todos conversavam sobre as suas mazelas e desafios.

Já naquela época, e ainda hoje, o melhor líder é quem toma a iniciativa de acender a fogueira, como um claro convite a que os demais se sentem, em círculo. A fogueira, hoje, recebe outro nome: propósito. O líder oferece um propósito para que os liderados também acendam a fogueira dentro de si.

O bom líder – seja de que tempo for – é aquele que sabe incandescer o breu da vida de seus liderados. Mantém o coração da equipe aquecido. No passado remoto, o calor era físico, diante do frio brutal no ambiente e das ameaças da selva. Hoje, é o calor que encoraja diante do frio psicológico e da nova selva, o tenebroso mundo na entropia.

O bom líder de todos os tempos é aquele que deixa o acampamento preparado para quem virá depois dele. Embora tenha havido tantas guerras e disputas, os melhores líderes não foram os guerreiros sanguinários, mas sim os movidos por colaboração, altruísmo e solidariedade. Esses despertam em seus liderados o desejo de servir e de dar sentido à vida.

Finalmente, o melhor líder de todos os tempos é aquele que sempre sabe que não é a sua visão o que mais importa, mas a visão de todos. Só o sonho que se sonha junto se transforma em realidade, sempre ao redor de uma fogueira para representar a chama que arde em cada um.

Do seu,

Velho Taful

Essa foi a melhor aula sobre liderança que tive, considerando tudo o que havia sido tratado sobre o tema na universidade. Uma lição que jamais me esqueci!

14
Do "aqui" e do "acolá"

Estava ávido para conhecer o quarto desígnio, mas compreendi que de nada adiantava a tentativa de apressar o rio. Ele tem o seu próprio curso e ritmo.

Naquele final de tarde, cheguei ao ateliê do Velho Taful antes dele, que estava em sua editora resolvendo questões sobre estratégias para a difusão da leitura.

Em meio à profusão de livros dispostos na estante, peguei um de autoria dele. Tratava de cosmografia, uma de suas especialidades. Ao folheá-lo, uma fotografia caiu ao chão. Lá estava o Velho Taful, ainda com toda sua cabeleira, e, além do bigode, usava um bem elaborado cavanhaque. Um homem vistoso ao lado de uma linda mulher. Ela, olhos claros, cabelo Chanel, lábios realçados por um franco sorriso. Formavam um par admirável.

O Velho Taful nunca havia me falado de sua mulher. Jamais dissera nada sobre a sua vida conjugal. Como em um acordo tácito, eu também não tocava no assunto. Assim, mesmo sem querer, eu me senti invasivo ao encontrar aquela foto. Guardei-a e recoloquei o livro na estante, exatamente onde estava antes, quando ouvi passos. E tratei de frear a minha curiosidade.

– Boa tarde, Aladim.

– Boa tarde, gênio da lâmpada.

– Um país de poucos leitores, esse é o nosso Brasil. Mas não me canso de insistir na instituição de um clube em que os membros tenham gosto pela leitura como traço em comum.

– Por falar nisso, consegui retornar às minhas! Adivinhe quem eu estou lendo?

Respondi antes que o Velho Taful desse o seu lance.

– Mário Quintana!

– Arranjou tempo, é? E o que fez para conseguir tal façanha? – ele indagou, provocando.

– Dei a devida importância à leitura. Lancei, para mim mesmo, o desafio de aprender alguma coisa ao fim de cada leitura, de maneira a ampliar a minha consciência. Algo além da mera distração ou puro entretenimento. E isso me motivou.

– Note o que fez: além de considerar a leitura uma prioridade a conquistar espaço na agenda, concedeu a ela um significado!

– Acho que comecei a tratar o livro como sujeito, não objeto, um bom mestre e companheiro para as horas solitárias – completei.

– E com isso você não apenas arranjou tempo, como o fez render. Suspeito que as sensações e os sentimentos que experimentou, enquanto permanecia ali concentrado, mesmo que durante poucas horas, acabaram se estendendo para o dia inteiro, a semana... e quiçá se expandam por toda a sua vida.

"Quiçá? De onde, afinal, o Velho Taful garimpa essas palavras estranhas? Será que as inventa?", pensei.

– Quando se tem um propósito, a gente arranja tempo e faz com que ele trate de render! – ele comentou.

– E isso vale também para o propósito de vida que venho buscando?

– Sem dúvida. A falta de tempo está relacionada ao despropósito e aos inúmeros fatores que disputam e dispersam a atenção – ele completou.

– Aliás, distração e dispersão jamais faltam... – admiti, sem rodeios.

– Aonde está a nossa atenção é determinante para uma vida mais ou menos fecunda. Um propósito tem o poder de canalizar a atenção, garantindo que as nossas experiências não sejam tão efêmeras e superficiais, mas ofereçam algum tipo de aprendizado e significado.

Enquanto se acomodava em sua velha cadeira de trabalho, o Velho Taful voltou à carga:

– E aí, o que você descobriu com a leitura de meu amigo Mário?

– "Um bom poema é aquele que nos dá a impressão de que está lendo a gente... e não a gente a ele!" – eu retruquei, com uma citação do próprio Quintana.

– Supimpa! Um bom poema e um bom livro, o sábio Quintana está certo! – frisou o Velho Taful. Uma floresta, por exemplo, pode ser descrita por seus hectares, quantidade de árvores, espécies e víveres. Mas, também, por seus mistérios, encantos, clareiras, breus e réstias de luz, lonjuras e funduras. Coisas do aqui e coisas do acolá.

– Gostei disso, aqui e acolá!

– No aqui, os sentimentos ficam de lado, e só há lugar para o que é sólido e concreto ou líquido e certo. No acolá, pensamentos e sentimentos criam uma história que continua em nossa imaginação.

– Mas há quem goste das coisas bem diretas, sem divagações. A palavra certa, do jeito certo, na hora certa. Tudo preto no branco – ressalvei.

– E não há nada de errado nisso – continuou o Velho Taful. Às vezes, tudo de que precisamos é um bom entendimento. Para isso servem os manuais e as bulas. Mas as palavras se abrigam em outros lugares, além dos manuais e das bulas, dos ensaios e dos tratados. A poesia, de que trata o sábio Quintana, por exemplo, é um deles.

– O entendimento está no “aqui”, a imaginação está no “acolá”, é por aí? – arrisquei, testando minha compreensão.

– No acolá, os significados se escondem por trás de metáforas, de subentendidos, de símbolos. As palavras nem sempre querem dizer o que a sua etimologia propõe.

– Talvez por isso mesmo a poesia seja tão pouco apreciada, e livros dessa natureza nunca se encontram em listas de *best sellers* – comentei.

– Pois é. A poesia prioriza a beleza. Um poço de inutilidade, portanto, para quem prefere manuais e bulas. É uma pena restringir-se apenas às utilidades.

– Quer dizer que a poesia é importante, mas não funciona! – brinquei, fazendo alusão ao terceiro desígnio.

– É isso mesmo. No “acolá” você vai perceber que as palavras têm som. Algumas são barulhentas, como as dos noticiários, outras guardam silêncios preciosos. E, no silêncio, elas ganham vida. Uma vida que está muito além dos significados meramente etimológicos. É como se voassem mais alto e, das alturas, nos emprestassem seus olhos para que pudéssemos ver o que não conseguiríamos daqui, confinados ao chão.

– Nunca havia me dado conta de que as palavras têm som – eu revelei, sinceramente.

– Som e movimento – o Velho Taful continuou. – Existem palavras que nos ajudam a sair da superfície, do lugar comum e nos levam para outros mundos. Talvez já tivéssemos visitado esses espaços, mas sem nos lembrarmos deles, até que as palavras dessem a senha. Moram em nosso inconsciente e elas conseguem trazê-los à superfície ou nos levar até onde se encontram.

– Qual a relação disso tudo com o propósito? – eu quis saber.

– Um propósito somente no "aqui" não vai dar conta do recado. Quem deseja visibilidade, regularidade e estabilidade total vai conseguir muito pouco do seu propósito. Para ser completo, um propósito precisa avançar para o "acolá".

– O "acolá" parece ser muito abstrato... e misterioso – arrisquei, mergulhado em reflexões.

– Tão misterioso quanto cavalgar pelos céus montando num raio de luz – o Velho Taful tratou de ilustrar ainda mais o mistério. – Vai fazer com que as palavras abram portas desconhecidas.

– Como se fosse abracadabra – brinquei.

– É isso mesmo – ele concordou, para o meu espanto. – Essas portas vão nos levar para outras dimensões. Um salto quântico de consciência.

O Velho Taful estava enigmático naquela tarde. Do "acolá" ao "aqui". Sem dúvida, preparava-me para mergulhar no quarto desígnio.

15
O quarto desígnio

– Lembra-se da história do Jonas?

– Aquele da baleia? Sim! Ele não queria transformar o seu destino em desígnio.

– Exato! Ele negava o chamado. Foi designado para uma obra: libertar o povo de Nínive do jugo da escuridão, perdido que estava na corrupção. E, ao declinar do chamado, ele enfraqueceu a sua chama, a sua vocação de profeta. A partir disso, a sua vida se transformou em um tormento avassalador. Quanto mais tentava fugir, mais o chamado o perseguia.

– Foi aí que a baleia o engoliu – completei, com mais esse importante detalhe da história.

– Sim, a questão fundamental foi a fuga de si mesmo, de seus desígnios, do chamado, de sua essência. Mesmo que ele quisesse descobrir e realizar o seu propósito de vida, ainda assim, tinha medo de descobrir o que estava procurando.

– Um tipo de autossabotagem – comentei, sintetizando.

– Exato. Somente depois que Jonas obedeceu ao chamado, a baleia o libertou daquele transe em que ele permanecia, e o cuspiu para fora.

– Sorte dele!

– O chamado é a inspiração. *Inspirare,* do latim, ou seja, *spirare* é respirar, *in* é dentro. Então, inspirar é respirar para dentro – didático, o Velho Taful registrava as palavras na lousa.

Eu apreciava muito a erudição dele, tão natural.

– Quando Jonas aceitou o chamado, a chama cresceu dentro dele. Estava, então, pronto para viver o seu propósito.

– Tudo isso está no livro de Jonas, na Bíblia? – questionei.

– Não exatamente assim, é claro. Mas essa é a mensagem. Dentro de cada um de nós habita uma chama. Essa chama é a vocação, a voz interior que diz o que devemos fazer e para onde temos de ir.

– O difícil é conseguir ouvir essa voz – admiti.

– Na cacofonia dos ruídos e agitos das mil distrações diárias, é muito difícil. O máximo que você consegue é seguir a manada. É na calma do silêncio que será capaz de ouvir o crepitar dessa chama. No silêncio de seu coração, na travessia de seu deserto, no contato com a sua essência.

– Acredito que as chances aumentam quando se é sujeito – avaliei.

– Certamente. Mas essa é só uma parte da história.

– E depois?

– Depois de ouvir a sua chama, busque o som de fora, o chamado, a convocação. Algo que pulsa dentro se encontra com algo que vibra fora. E, quando isso acontece, o resultado é a labareda! Um fogo atrevido que não vê limites e onde o medo não tem lugar.

Senti uma ardência interior. Aquilo fazia sentido para mim! Será que conseguiria sossegar o Mórbido?

– Foi assim com Francisco de Assis, Einstein, Gandhi, Picasso, Walt Disney – exemplificou o Velho Taful.

– Se bem entendi, precisa haver uma conexão entre a chama e o chamado, o mundo de dentro com o mundo de fora.

– É isso mesmo! O que, às vezes, falta aos nossos desejos é um pouquinho a mais de serviço e entrega para que haja real comprometimento. Compromisso é energia emocional direcionada para algo ou alguém. Essa é a força por trás do desejo. Um bom propósito não sobrevive sem que haja um "para quem".

– Quem é o meu "para quem"?

– Boa pergunta, caro Aladim. Você precisa se responsabilizar por uma parte do universo que ninguém mais pode.

– Por isso, a vocação antes da profissão. Muitos têm a mesma profissão, mas poucos vivem a sua vocação.

– Está se dando muito bem, Aladim. É bom se lembrar, não obstante, de que você não decide sozinho.

"Não obstante", cada uma que o Velho Taful inventa, pensei, antes de perguntar do que se tratava:

– O que é isso?

– Esquece o termo, Aladim. Importante é compreender que você vai ter de se livrar do seu pequeno "eu", em que a carência predomina, e abrir-se para os outros. Há um comandante superior a quem você deve prestar ouvidos. Migrar do "aqui" para o "acolá" é ajustar o alvo e a seta.

– Já entendi! Um refinamento contínuo.

– E um ajuste, também contínuo, de viver com a consciência de quem você é e do que você quer.

Refleti sobre os meus três desejos, repassando-os em voz alta.

1º Desejo: viver a minha vocação.
2º Desejo: ser rico de verdade.
3º Desejo: aprender a gostar do que precisa ser feito.

– Sem dúvida, eles passam pelo terceiro desígnio, mas são reprovados no quarto – esclareceu o Velho Taful. –Diferentemente dos desígnios anteriores, que exigem uma escolha entre dois extremos (criador e criatura, farta e falta, sujeito e objeto), o quarto propõe uma conexão entre a chama e o chamado.

Depois dessas observações, ele me deixou com uma tarefa para casa, em relação ao teste do quarto desígnio:

Os seus desejos conectam a sua chama interna com o chamado externo?

"Eu quero viver a minha vocação" dizia respeito à minha chama, mas não se referia ao chamado. Seria de pouca valia se eu não a oferecesse para algo ou alguém.

"Ser rico de verdade" também se reportava a mim, como anseio de me transformar em um ser humano melhor e mais completo. Isso era necessário, mas não suficiente para fortalecer o meu propósito.

"Aprender a gostar do que precisa ser feito" me livrava da armadilha de me dedicar apenas aos meus *hobbies*, mas ainda não me colocava a serviço de algo ou alguém, além de mim mesmo.

"Serviço" e "entrega" eram as palavras que abriam novas portas. Elas me fariam cavalgar pelos céus montado num raio de luz.

A partir dessas reflexões, decidi que tinha de refazer os meus desejos.

16
Olhar consciente

Como explicar que pessoas com escolaridade superior e supostamente mais inteligentes não sejam mais bem-sucedidas do que outras com situações e histórico menos favoráveis?

Como explicar que empresas atuando no mesmo mercado, com semelhantes canais de distribuição, clientela e produtos obtenham resultados diferentes?

O que as difere, de fato, é a representação que cada uma tem da "realidade". Foi o que aprendi com o Velho Taful. O mundo muda, quando mudam nossas percepções. Aliás, é isso que ele fez comigo a cada encontro, quando conseguia revelar aquilo que, para mim, encontrava-se velado.

Vou tentar traduzir, agora, com outra compreensão, o que entendi das lições: na maior parte do tempo, a gente age como se houvesse um "mundo real" lá fora. Mas o mundo real é sempre interpretado por nossa experiência. Nesse sentido não vivemos no mundo real, mas em nossa versão particular dele. Ou seja, se não gostamos da vida que estamos levando, é melhor assumir a responsabilidade sobre a representação que fazemos dela. É aí que entra em cena o terceiro olhar: o olhar consciente.

Depois que exercitei os olhares apreciativo e empático, a novidade estava relacionada ao olhar consciente. Para me aventurar nesse desafio, tratei de repassar cada um, para fixá-los na memória:

- o "olhar apreciativo" é um olhar sobre o outro, buscando o melhor desse outro;

- o "olhar empático" é um olhar do outro, na tentativa de compreendê-lo a partir de seu próprio ângulo de visão;
- o "olhar consciente" é um olhar sobre o todo, mais panorâmico e sistêmico, contextual.

Essa revisita, mais o que aprendi nas conversas com o Velho Taful, levaram-me a várias reflexões instigantes. Pode ser útil concentrar a atenção em determinado ponto, quando ouvimos uma música ou uma palestra, por exemplo. Mas também pode ser limitador, quando perdemos de vista o contexto. O que ajuda nessa hora é a intenção e a atenção. A intenção dirige a atenção e esta determina a qualidade da experiência.

Se a realidade é distinta do que gostaríamos, então não há o que fazer em relação a ela, mas muito pode ser feito quanto à intenção e à atenção. Em que colocamos a atenção e com qual intenção, vai fazer toda a diferença na representação que temos da realidade.

É importante, entendi, ficar atento aos movimentos de fluxo e influxo. Sempre que o influxo acontece, é porque o Mórbido entrou em cena. É essencial identificá-lo quando isso acontece. Essa é uma das funções do olhar consciente, que abrange tanto o mundo interior como o exterior. O "aqui" e o "acolá".

Funciona assim: quando estou me relacionando com alguém, observo como eu lido com tal pessoa, e ela, comigo. Analiso como é o nosso relacionamento, se cooperativo, solidário, crítico, julgador ou omisso. Daí posso agir com consciência, a partir da seguinte pergunta: "O que poderia ajudar essa relação a dar certo?".

Da mesma forma, calculei que poderia, no lugar da pessoa, colocar a empresa em que trabalhava ou a equipe que liderava. Também poderia fazer o mesmo exercício, examinando a relação com o mundo, a natureza, a vida. Esse exercício ampliaria, concluí, a minha relação com os outros e com o todo.

Nem foi preciso que o Velho Taful me dissesse o quanto o olhar consciente ajuda no quarto desígnio, na busca de uma conexão entre a chama e o chamado.

17
A volta do menino

A tela em que o menino olha suplicantemente para alguém que não vê, mas cuja mão afaga a sua cabeça, pendurada em uma das paredes do ateliê do Velho Taful, saltou-me da memória naquele dia. Mais uma vez, fez com que eu viajasse no tempo.

Aos 30 anos, o menino crescido ainda não conhecia o cerne da questão, mas havia decidido fazer algo a respeito. Estava determinado a humanizar empresas. Era como se ele quisesse de volta aquele mundo em que vivera, quando todas as crianças eram filhas de todas as famílias e todos os pais eram pais de todas as crianças. Um mundo sem lugar para infância abandonada.

Ele pensava a empresa como uma comunidade. Inúmeras das que existiam em seu país eram, afinal, menores do que sua cidadezinha da infância. Então, por que não? As organizações poderiam se transformar em comunidades de trabalho. Isso implicaria um novo olhar, uma nova consciência e também novas competências.

Em uma organização, valem as leis de fora, na forma de normas e regulamentos. Mas em uma comunidade, o que conta mesmo são as leis de dentro. Aquelas que habitam a consciência de cada pessoa. A consciência coletiva recebe o nome de "conjunto de valores virtuosos".

Nas organizações, pouco se conversa e quando isso acontece é sempre a respeito de coisas: os pedidos, as vendas, o faturamento, os boletos, a produção, as máquinas, a mercadoria, os estoques, as devoluções, o sistema, os relatórios, o orçamento, as metas. São coisas e mais coisas, sempre em primeiro lugar. Quase não existem espaços para expressar sentimentos e ideias. Na comunidade, há apreço e amizade. Os diálogos se referem a sentimentos, compartilhamento de tristezas e alegrias, sonhos e angústias.

Nas organizações, o verbo imperativo é "cumpra-se!" e, por isso, existem os padrões e as normas. Na comunidade, o verbo propositivo é "crie", o que estimula cada um a buscar dentro de si o talento criativo que todo sujeito tem.

Nas organizações, os padrões e diretrizes pouco mudam, vão juntando teias de aranha. Na comunidade de trabalho, existe aprendizado todos os dias. Ninguém, a não ser que rejeite mudar, retorna para casa com a mesma estatura com a qual saiu pela manhã.

As organizações são impulsionadas por metas, sempre superiores àquelas já conquistadas, em uma batalha interminável. É como fazer uma viagem olhando o hodômetro do carro ao invés de desfrutar da paisagem ao redor. Na comunidade, existe um propósito que dá significado às metas e vai além, tornando-as mais desafiadoras.

A organização estimula a competição, tanto externa como interna. A competição é considerada um estímulo ao crescimento e ao lucro. A comunidade incentiva a colaboração, a ajuda mútua, o espírito de equipe, a cocriação e a conquista conjunta. A colaboração garante a perenidade.

Todo arranjo de trabalho em uma organização é representado por meio do organograma, em uma estrutura de trabalho hierárquica. Existe um distanciamento nas relações, provocado pelas linhas de poder e autoridade que categorizam as pessoas por meio de seus cargos. Por isso é muito comum a ordem do chefe prevalecer sobre a necessidade do cliente. Na comunidade, contam mais as relações humanas, de maneira que os cargos e funções são secundários. Por isso, são arranjos de trabalho horizontais, facilitando as interfaces pessoais.

A organização considera muito o organograma e a responsabilidade do cargo. Na comunidade, o que conta é o acordo sincero e o compromisso assumido. O apoio gratuito é mais importante do que as atribuições do cargo.

Na organização, prevalece o controle. Na comunidade, o essencial, mesmo, é a confiança, como a lembrar os primórdios dos melhores negócios feitos com o aval do fio do bigode.

O menino ainda presente no homem adulto reconhece que são dois mundos diferentes, dois *hábitats*. Assim, de bate-pronto, reflexões aprofundadas, perguntou a si mesmo: em qual deles gostaria de viver? Na organização ou na comunidade de trabalho? Em um lugar regido por valores ou por normas e procedimentos? As leis de dentro ou as leis de fora? Uma comunidade impulsionada por um propósito ou uma organização arrastada por uma meta?

Ainda que trabalhasse em uma organização, aquele menino desejava a comunidade. E contava com a solidariedade de muitos outros meninos para os quais não havia dúvidas: preferiam a comunidade de trabalho, que permitiam a eles ser o que verdadeiramente eram.

Transformar organizações em comunidades, no entanto, é uma missão impossível diante da pergunta que busca o que funciona ao invés do que importa. Elas resvalam fatalmente para a condição de objeto, com a coisificação de tudo e todos.

Viver uma comunidade é como "estar em casa". Não se trata especialmente de um lugar, mas de um sentimento, um estado de espírito. Quem anda com pressa e medo não consegue reencontrar o seu lar. Lar precisa de tempo, atenção e dedicação.

É um desejo latente ter um ambiente em que se encontra a aceitação, a compreensão, a sensação de pertencer, o afeto. Um ambiente de confiança, em que o acolhimento é uma certeza tamanha que a gente pode se entregar, porque jamais será um ser estranho, mas sim aguardado por alguém; em que alegria e pesar são partilhados mutuamente; em que é possível ser como realmente se é; em que se pode crescer, inexoravelmente, pois fincou-se raiz em solo bom.

Toda empresa deveria se perguntar o que pode fazer para que as pessoas se sintam em casa, ali. Será possível, se o ambiente for mais parecido com uma comunidade do que com uma organização.

Uma comunidade só se torna um lar, para nós, quando está impregnada de amor e faz aflorar algo que é maior do que ela e perfeitamente possível, quando se quer que assim seja!

O menino, mergulhado em reflexões, sentia saudade do lar, com suas fragrâncias, paladares, sons e músicas, festas e celebrações. Lar é uma palavra que desperta nostalgia por um lugar, onde se pode sentir em casa, ser quem realmente se é, sentir acolhimento e amor, estar em contato com as suas raízes.

Lar lembra infância, infância lembra lar. E, na medida em que o menino dentro do adulto se tornou um nômade deportado de sua infância, estava sempre querendo retornar ao lar, principalmente quando olhava ao redor e não se reconhecia no mundo em que vivia.

Talvez por ter começado a trabalhar muito cedo, parte de sua meninice continuou pulsando dentro dele. E essa criança livre mantinha o desejo de voar.

18
Sorrateiro camaleão

Naquele tempo, os computadores com seus teclados e monitores já tinham ocupado o espaço das máquinas de datilografia. Mesmo assim, eu sempre encontrava o Velho Taful escrevendo do jeito que ele gostava: à mão. Dizia que as palavras saiam do coração, percorriam o braço, passavam pela ponta da caneta e a tinta finalmente desenhava os caracteres, criando vida na folha de papel.

É o que ele afirmava em um artigo que seria publicado no *Jornal de Letras*, do Rio de Janeiro. O texto começava assim: "A única coisa em que acredito são os milagres. Do resto, tenho dúvidas". Em síntese, o Velho Taful defendia a ideia, com outras palavras, de que as coisas do "aqui" não se resolvem sem o "acolá". E é no "acolá" que milagres acontecem, materializando-se no "aqui". Tudo isso esbanjando erudição, bem a seu gosto e da linha editorial do veículo a que o escrito se destinava.

Naquele dia, deixei meus desejos de lado. Queria, em um momento de intimidade, apresentar o meu desafeto ao Velho Taful, para saber o que o gênio da lâmpada teria a dizer sobre o dito cujo.

– Velho Taful, gostaria de lhe apresentar alguém que me persegue.

– Não obstante o desconforto que possa lhe provocar, terei prazer em conhecê-lo! Quem é ele?

– Todas as vezes que saio daqui, ele me aguarda em alguma esquina. Não me dá sossego nem trégua. Como um zumbido, fica na minha orelha dizendo que tudo isso é bobagem. Que o destino já está traçado, a vida é uma sina e tudo já está determinado. Rico é rico, pobre é pobre e não há o que fazer. Questão de sorte ou de azar.

O Velho Taful ouvia, atento.

– Ele invalida os meus desejos, os meus sonhos, a busca de propósito. No trabalho, ele me diz que não vale a pena dedicar-se tanto. No final, quem ganha mesmo é o patrão.

Tomei um gole d'água, antes de prosseguir.

– Ele vive dizendo que não há o que fazer. São fomes, sedes, doenças, guerras. Ele desacredita de tudo, dos governantes, dos países, dos líderes, das instituições, e até de Deus.

– Mas esse seu desafeto não tem nada que se salve?

– Bem, não é de todo ruim. Ele quer que eu me divirta, distraia-me, que busque válvulas de escape para compensar as pressões da vida. Então, concordo e fujo nos entretenimentos.

– E dá certo?

– O curioso é que, até por causa dele, eu me canso muito rápido de tudo. Se um programa de TV não me atrai, mudo logo de canal. Se um livro não me fisga nas primeiras páginas, trato de deixá-lo esquecido na estante. Se um filme não me entretém, passo logo para outro.

– Esse seu desafeto é mesmo de amargar, hein? Como ele se chama?

– Batizei-o de Mórbido.

– Um bom apelido para o medo. Lembra-se do livro *As mil e uma noites?*

– Sim, o mesmo em que está a história de Aladim e do gênio da lâmpada.

– Pois conta uma outra que também se passa no Oriente Médio – revela o Velho Taful, sintetizando o enredo.

O criado de um mercador de Bagdá foi procurar seu senhor na maior aflição.

“Patrão”, disse ofegante, alguma coisa esbarrou em mim, esta manhã, no meio da multidão do mercado”.

“E o que era?”, perguntou o patrão, curioso.

“Voltei-me e vi que era a Morte. Fixei-a nos olhos e ela me lançou um olhar tão estranho e aterrador que agora temo por minha vida”.

“E o que você vai fazer?”

“Por favor, patrão, empreste-me um cavalo para que eu possa fugir! Com a sua ajuda, ao cair da noite já estarei bem longe, em Samarra.”

O mercador era um homem generoso e deu-lhe um dos seus melhores cavalos.

Mais tarde, passeando pelo mercado, também avistou a Morte no meio da multidão. Foi até ela e lhe perguntou:

“Por que você assustou meu criado esta manhã, lançando sobre ele aquele olhar ameaçador?”

“Eu não o ameacei”, respondeu a Morte. “Foi um olhar de surpresa... Espantei-me ao encontrar esta manhã, em Bagdá, um homem com quem tinha um encontro marcado à noite, em Samarra”.

Senti um frio na espinha, ao término do breve relato, seguido por considerações do Velho Taful.

– Substitua morte por medo, e a moral da história é a mesma: não adianta fugir dele. Subterfúgios não ajudam. O máximo que se consegue é perder, aos poucos, a sensibilidade. Quando se dá conta, você se transformou naquele galho seco, inerte, que nem chora nem ri.

– Mas ainda que o reconheça, vou precisar de coragem para enfrentá-lo.

– Quando pensamos em coragem, nossa mente é preenchida por heróis que conseguiram força e resiliência, vitórias e conquistas, a exemplo dos grandes da história, como Alexandre, da Macedônia, ou Frederico, da Prússia.

– Esses caras eram destemidos – acrescentei.

– Destemor é ausência de medo. Não era esse o caso deles, para quem coragem é antes uma atitude do que uma virtude. Não é uma questão de ter coragem para agir. É agindo que a coragem aparece.

– É ir para cima, enfrentar, isso é atitude! – tratei de concluir, rapidamente.

– Não é bem assim – ressalvou meu interlocutor. – Vai depender de seu estado de espírito. Considere estado de espírito aquele momento ou situação de energia gerada por uma disposição "para" e uma decisão "de".

– Explique, por favor – solicitei, ainda confuso.

– Disposição "para" o quê? Para algo ou alguém. Essa disposição é capaz de produzir em nós uma força emocional e psíquica. Decisão "de" quê? De fazer algo com elevado significado na vida: a sua ou a de outras pessoas.

– O quarto desígnio! A chama e o chamado! – acrescentei, entusiasmado.

– Ao compreender a coragem como um estado de espírito, você vai se reconhecer como corajoso. Nada que você não seja, Aladim. Experimente examinar o seu passado, revisitar as suas histórias de coragem e atrevimento, e identifique quando e em quais circunstâncias esse estado de espírito esteve presente. E o quanto a sua vida mudou de curso, sem voltar a ser a mesma.

Um filme passou em minha mente. De fato, quantas fronteiras eu já cruzei, tantas cancelas ultrapassadas.

– Faça amizade com o seu Mórbido!

– Ser amigo do medo?

– Você deixou a sua bicicleta lá fora?

– Você se refere à Rosalina? Sim, deixei-a encostada na parede, como sempre.

– Imagine que ela tivesse dois lugares, um na frente, outro atrás, para que ambos pudessem pedalar.

– Sim! – eu concordei, criando a cena em minha mente.

– Imagine que você vai subir um morro e o seu amigo imaginário o acompanha, sentado no lugar atrás. Você sabe muito bem como é difícil enfrentar, pedalando, uma rampa íngreme.

– Tô suando só de pensar – admiti, praticamente vivenciando a situação.

– Ao chegar no topo do morro, você diz ao seu amigo imaginário: "Pensei que não íamos conseguir". E ele responde: "Se eu não tivesse usado os freios durante todo o percurso, a gente teria rolado ladeira abaixo".

Soltei uma gargalhada.

– Que amigo da onça!

– É ele que o desafia a ir além e a se superar. Também o alerta sobre os perigos e faz com que assuma riscos conscientemente. Não fosse ele, para onde iria a arrogância de pessoas que tudo querem e tudo podem? Sem ele, quantas ações suicidas adotaríamos! O seu amigo imaginário o coloca na justa medida!

– Mas eu poderia não ter conseguido atingir o topo do morro ou vencido qualquer outro desafio.

– Isso só vai acontecer se você ignorá-lo ou enfrentá-lo. E se descuidar dos desígnios.

– Entendi. O segredo é andar de mãos dadas com o Mórbido – ironizei.

– Podemos afrouxar o vínculo com ele, mas não conseguiremos desfazer a relação. Dá para estabelecer limites e até curar certos males, mas Mórbido persistirá.

Ele renasce com outras faces e persiste com uma engenhosidade diabólica. O medo é apenas uma delas. Você ainda vai saber mais sobre esse sorrateiro camaleão.

19
O quinto desígnio

Daquela vez, levei pãezinhos para o nosso café. O domingo estava radiante, e eu também, ávido para apresentar os meus três desejos reformulados ao Velho Taful.

> *1º Desejo: contribuir, por meio de minha vocação, para a construção de empresas bem-sucedidas.*
> *2º Desejo: enriquecer o mundo ao meu redor, em benefício de todos.*
> *3º Desejo: transformar o trabalho em bênção.*

Ao tomar conhecimento deles, o Velho Taful pareceu satisfeito, como depreendi de seu velho hábito de cofiar o bigode.

– Muito bem, Aladim. A chama e o chamado estão presentes. Então podemos evoluir para o quinto desígnio.

– Finalmente! – eu exclamei, animado e curioso com o desfecho.

– Quase!

– Quase?

– O quinto desígnio trata de sua entrega diante de seus desejos. Depois, faremos o teste final.

– Então, seguimos na ordem. Quero saber da entrega – eu declarei, entre curioso e disposto a desvendar o mistério.

O Velho Taful colocou a Rita no fogo para preparar o café. Depois disso, escreveu duas palavras na lousa.

– Tem o "ufa!" e tem o "oba!" Duas palavras com apenas três letrinhas, uma consoante e duas vogais. Parecem tão semelhantes, porque pertencem à mesma família das interjeições, mas são muito diferentes. E traduzem sentimentos distintos. São muito usadas nas situações em que atingimos algum tipo de resultado. Também, por isso, assemelham-se. Mas contam histórias diferentes.

– Puxa! Duas palavrinhas são capazes de contar histórias tão díspares?

– Isso mesmo! Dizemos "ufa!" quando atingimos o resultado, mas o sentimento é de alívio, no final do processo. Ou seja: ficamos livres, passamos a régua, entregamos o serviço.

– Entendi.

– Dizemos "oba!" quando atingimos o resultado, mas o sentimento é de alegria, no final do processo. Realizamos e nos sentimos realizados.

– É muito sutil a diferença.

– Sim, porém é bastante significativa a discrepância entre o mundo do trabalho "ufa!" e a vida no trabalho "oba!". Em ambos despendemos energia, esforçamo-nos, voltamos para casa cansados. Mas tudo isso é bem divergente quando a exclamação é "oba!" ao invés de "ufa!".

– Compreendi que o trabalho é o mesmo, mas o sentimento é outro – comentei.

– No "ufa!", a satisfação é só pelo resultado, embora o processo não tenha sido nada prazeroso.

– É quando a gente não vê a hora de se livrar dele – concordo.

– No "ufa!", as horas podem ser mais longas que a vida.

Sublinhando a palavra na lousa, o Velho Taful continuou:

– No "ufa!", queremos o resultado, apesar do processo. Chegamos lá, mas sem a menor motivação caso precisemos começar tudo de novo.

– Tá cheio de "ufa!" por aí.

– Sim, principalmente porque se confunde propósito com metas. Busca-se atingir várias metas, o que pode significar uma lista de coisas para fazer, como perder dez quilos, fazer exercícios físicos três vezes por semana, estudar inglês uma hora por dia, ler um livro por mês, ir ao teatro com a namorada nos finais de semana, almoçar com os pais aos domingos etc. Tudo isso sem muito propósito. E vai acabar em "ufa!" sem a realização de meta nenhuma.

– Mas no "oba!" não existem metas desse tipo?

– No "oba!", as metas existem, porém como decorrência do propósito. Gostamos quando atingimos o resultado pretendido, mas também nos sentimos gratificados com o processo que nos levou a terminar bem. Cada fase é muito saboreada. Na verdade, trabalho é deleite e deleite é trabalho. No "oba!", queremos o resultado e gostamos do trajeto que nos levou até lá. Ao chegar, nos sentimos nutridos e motivados a fazer tudo novamente.

– Entendi! O "oba!" depende de um propósito.

– Sim, não importa tanto se você perdeu um quilo, fez os seus exercícios, estudou inglês, leu ou foi ao teatro com a namorada ou almoçou com seus pais no domingo. O que importa é: com que entrega você fez todas essas coisas? Com que estado de presença?

– Ou seja, com qual intenção? – completei.

– Se isso já está relativamente compreendido, então vai a pergunta: porque alguns trabalhos são "ufa!" e outros são "oba!"? – o Velho Taful me desafiou a concluir.

– Pelo que estou entendendo, a resposta tem relação com os desejos e o propósito, estou certo?

– Sim, e com o filho dileto de ambos: o significado. Transfira para o seu trabalho uma série de indagações. A quem ele se destina? A quem você serve? Ele é, verdadeiramente, uma contribuição? Quem você está, realmente, ajudando? As respostas a essas questões têm o poder de transformar "ufas" em "obas". Alívios em alegrias.

– A farta e a falta, o sujeito e o objeto, a chama e o chamado! – sintetizei.

Rita já tinha feito a sua parte. O café fumegava na cafeteira.

– A transição do "ufa!" para o "oba!" é capaz de mudar um estado de espírito. E, também, de trazer um novo sentido para a nossa vida, como o de transformar o trabalho em uma benção, conforme o seu terceiro desejo.

– Vou tentar resumir: pressionados pelos resultados, muitas vezes nos esquecemos do processo – concluí. – E quando a recompensa fica restrita somente aos resultados, o trabalho é "ufa!" – aquele que provoca um sentimento de alívio, não de alegria.

– Muito bem, Aladim! A alegria, esta levíssima e agradável sensação, está no conjunto "resultado mais processo". Só assim, em vez do "ufa!" surge o "oba!". É quando o trabalho se transforma em obra.

Eu estava gostando daquele quinto desígnio, o "ufa!" e o "oba!".

– Perdemos de vista as dimensões do trabalho, quando ele suscita apenas "ufa!", concentrado só no resultado. Tomemos como exemplo o tão conhecido "pão nosso de cada dia" – o Velho Taful continuou, fazendo alusão aos que havia trazido para o nosso café da manhã. – O pão tem a sua origem no grão de trigo, plantado, colhido, debulhado. Em cada grão, está concentrado o trabalho do semeador, do lavrador, do ceifador, do malhador, do carroceiro, do moleiro. E, se expandíssemos ainda mais a visão para além dos tempos, encontraríamos nele o empenho do primeiro ser humano que o cultivou e de todos os que o aperfeiçoaram, ao longo da história.

– Puxa! Nunca tinha pensado nisso! – admiti, sinceramente.

– Tantos outros atuaram ao redor do grão de trigo, como os operadores de máquinas agrícolas, capazes de arar, colher, debulhar, entre outras etapas do processo. Sem falar nos profissionais envolvidos com o projeto e a produção das próprias máquinas: engenheiros, ferramenteiros, operários da indústria, pintores, mecânicos, e outros profissionais, inclusive os responsáveis por sua lubrificação e abastecimento.

– E acho que não para por aí – acrescentei, animado com os desdobramentos.

– A imaginação viajará longe se pensarmos sobre a origem de cada peça dessas máquinas e quem as moldou, forjou, fundiu e transportou em navios, aviões, caminhões e outros meios. O processo continua com múltiplos desdobramentos até que o trigo seja transformado em farinha, para chegar às mãos daqueles que, no final da linha, vão entregar o pão quentinho ao cliente.

– O resultado final é essa delícia que temos aqui para saborear na primeira refeição do dia. – comemorei, alegremente.

– O resultado final é a venda e o dinheiro em caixa, mas é na obra que encontramos uma humanidade inteira no mistério da colaboração – ele esclareceu.

O café estava especial naquela manhã. Bebemos, entre conversas fiadas e risos, como bons amigos.

– O seu primeiro desejo é "contribuir, por meio de sua vocação, para a construção de empresas bem-sucedidas". Negócios são feitos de ofertas e demandas. As ofertas são muito variadas, entre matérias-primas, insumos, produtos, serviços. Ao redor delas existe uma sutil aura de energia humana.

– Coisas do "acolá"! – comentei.

– Sim, e tal energia pode estar carregada de raiva, orgulho, inveja e vaidade, ou então de serviço, solidariedade, entrega e amor. E é a diferença entre um e outro desses dois pacotes que torna um trabalho "ufa!" ou "oba!" e faz dele uma obra.

Aquela síntese merecia mais um belo gole de café. Foi o que fiz.

– Vamos ao teste do quinto desígnio? – ele propôs. Lá vai: ao realizar os seus desejos, os sentimentos serão de "ufa!" – alívio – ou de "oba!" – alegria?

Embora a resposta ao quinto desígnio me parecesse óbvia, resolvi pensar a respeito. Nada é tão óbvio que não mereça uma reflexão.

20
Lições de liderança

O quinto desígnio me levou a refletir também no exercício de minha liderança. Comecei a imaginar, mergulhado em reflexões. Existem dois jeitos de pular da cama pela manhã. Um deles, é sair direto para a luta, muitas vezes, sem uma primeira refeição decente, ou apenas com um apressado gole de café, para garantir um mínimo de estímulo. Não há tempo a perder nesse mundo dos ligeiros. É preciso chegar primeiro e não dar espaço para o outro, que é considerado o inimigo, o estorvo, o rival. E a maior motivação é superá-lo. Se ele for mais forte, melhor combatê-lo pelas beiradas. Se for mais fraco, o ideal é abatê-lo por nocaute.

Todos os dias, a história se repete. E o outro ameaçador não acaba nunca, tal como um pesadelo. A cada manhã, está ali, à espreita. O mesmo desafio, igual embate. Assim, cria-se a musculatura para a luta, com o intuito de livrar-se do inimigo, na busca incessante de vitória. Só existem duas opções: abater ou ser abatido. Claro, no cenário cotidiano, o mundo não é para tolos. Não admira que muita gente já acorde cansada.

Todos os dias a história se repete. "Ufa!"

Existe, no entanto, outro jeito de despertar. E tudo começa na forma como eu pulo da cama pela manhã. Oração, exercícios, alimentação. A meta é me superar, melhorar a cada dia. Mente sã em corpo são, já ensinava o poeta romano Juvenal, citado pelo Velho Taful. Depois, a preparação para o trabalho e a consciência de que a qualidade dele depende da qualidade das relações estabelecidas. O outro não é um inimigo, mas um possível aliado. Deve ser conquistado com respeito. Trata-se de conduzi-lo e deixar--se conduzir de mãos dadas. A delicada palavra de ordem é parceria. Ao invés da competição e de um único vitorioso solitário, a colaboração e a vitória coletiva solidária.

Todos os dias a história se repete. O outro é alguém com quem se pode construir, junto, um futuro. O que rege a relação é a confiança. Uma confiança que precisa ser conquistada continuamente. Não se trata apenas daquela que se tem no outro, mas também da autoconfiança. É um exercício que desenvolve a espiritualidade, buscando o confiável no interior de cada um, a começar por descobrir o confiável em si mesmo.

Todos os dias a história se repete. "Oba!"

Existem dois jeitos de pular da cama pela manhã: superando o outro ou superando o ontem. A escolha é livre, depende de cada um. A história a contar, entretanto, pode ser muito diferente, a partir do que se elege. Vou pensar nisso todas as vezes em que acordar. Mas como fazer com que meus colaboradores façam tal exercício fundamental, dia após dia?

Eles precisarão sentir-se inspirados para fazer a escolha certa. A inspiração é algo que vem do "acolá", para nos socorrer nos desafios do "aqui". Mas como inspirar os outros, os que trabalham a nosso lado?

Se eu ficar somente no discurso ou na conversa fiada, não serei bem-sucedido. É preciso aterrissar no "aqui" e fazer o movimento com gestos concretos.

O filósofo Ralph Waldo Emerson, citado pelo Velho Taful, dizia "O que você faz fala tão alto que não consigo ouvir o que você diz". Assim, ele nos mostra a importância dos gestos legítimos e tangíveis como fonte de inspiração. O discurso e as palavras soltas no ar não dão conta disso haja vista os tantos sermões e aulas inúteis dos quais nos ocupamos, sem que sejamos capazes de dar um único passo no sentido de incorporá-los aos nossos aprendizados e hábitos de vida.

Inspirar a essência das pessoas é tocá-las no que elas têm de mais verdadeiro, sublime, nobre. Para isso, terei de me valer, com legitimidade, do que tenho de mais verdadeiro, sublime e nobre. Pois que ninguém ensina ninguém, apenas aprende, ao ser inspirado. Quando a minha essência se conecta com a essência do outro é que a inspiração acontece.

Sendo a minha essência, sou o que existe de mais simples e sincero, de mais autêntico e natural, de mais límpido e luminoso. Não há que esforçar-se, apenas ser. E a essência das outras pessoas saberá corresponder igualmente, em um acordo tácito, como se todos já se conhecessem de longa data. Há amor e cumplicidade entre as essências.

Eu desejo viver a minha essência. Essa é a minha função. Assim, conseguirei inspirar a essência das pessoas.

Eu desejo inspirar a essência das pessoas.

Antes de encerrar as minhas reflexões, tive de admitir um receio e, daquela vez, não era coisa do Mórbido. E se o "oba!" se transformar em oba-oba?

21
Oba-oba

Em uma outra manhã, saltei da Rosalina e entrei cantarolando no ateliê do Velho Taful, esbanjando euforia.

– Do “oba!” para o oba-oba, do oba-oba para a tão desejada felicidade!

Ele estava arrumando livros na prateleira superior, apoiado em uma escada. Vendo-me chegar, desceu cuidadosamente, preservando-se de uma queda que poderia ser fatal, em sua idade. Foi direto ao ponto, considerando a minha efusiva alegria daquela manhã de domingo.

– Agora você mirou o alvo errado. Quem disse que os desígnios que levam ao propósito são garantia da felicidade?

– Ué, isso tudo não é para ser feliz?

– Depende do que você entende por felicidade.

– Entendo por felicidade levar uma vida prazerosa.

– Você está se referindo ao prazer e à felicidade. E parece que relaciona uma à outra.

– Sim, de certa forma.

– O prazer depende da presença de coisas que são e funcionam como objetos de desejo.

– Objetos de desejo?

– Sim, como o alimento e a bebida, por exemplo. Há quem acredite que o prazer é a única coisa boa, e o sofrimento, a única ruim.

– De fato.

– De fato, quem pensa assim investe seu tempo, energia e dinheiro apenas no que considera coisas boas para si. É o que se chama de hedonista.

– Hedonista? O que significa?

– A palavra hedonismo vem do grego *hedonikos*, que significa "prazeroso", pois deriva de *hedon* ou "prazer".

Gostava quando o Velho Taful recorria ao étimo da palavra.

– Para muitos, a felicidade é uma conta em que os momentos de prazer ganham de longe dos momentos de sofrimento. Fazem da vida uma busca incessante de momentos de prazer, evitando ao máximo os de sofrimentos. Isso pode ser visto como busca, mas também como fuga.

Estava curioso para saber aonde o Velho Taful queria chegar.

– Existe, no entanto, uma outra palavra. O contentamento. Implica um conteúdo interno que independe das coisas de fora. Enquanto o prazer se alimenta de presenças, o contentamento se alimenta de ausências.

– Agora complicou! Ficou esquisito! – admiti, confuso.

– Esquisito? Pois você já ouviu falar que o melhor da festa é esperar por ela? Existe contentamento no tempo da espera, feito de imaginação e deleite. Existe contentamento na recordação, pois aquece o coração rememorar sentimentos e emoções. Existe contentamento na saudade, como a de esperar o retorno do filho que partiu. Existe contentamento na solidão e no silêncio, que é o reencontro de cada um de nós consigo. Todos esses sentimentos são mais ausências do que presenças.

– Já ouvi dizer que esperar pela festa é melhor do que a própria festa, assim como esperar pela viagem pode ser melhor do que a viagem – comentei, concordando.

– Sim, porque se o prazer mora no finito das coisas, o contentamento mora no infinito, lá onde o desejo continua latente, pulsando e vibrando.

– Isso não é parecido com o "aqui", finito, e o "acolá", infinito?

– Sem dúvida. Prazer é bom, felicidade também, mas tanto um como a outra podem acabar nos impedindo de ousar o salto necessário para um estágio mais avançado, se não houver um "acolá". Seria como embriagar-se e empanturrar-se tanto de prazer e felicidade com os antepastos e aperitivos que acabamos por abrir mão do nutritivo prato principal.

– Ou seja, um "oba!" que pode acabar em um "ufa!" – concluí.

– Sim! Embora o prazer seja bom e a felicidade também, nada supera a plenitude de viver com alegria mesmo diante das ausências, ou seja, sem depender das presenças.

O Velho Taful fez menção ao tema, com fundo tropical, de uma das telas, na parede:

– São Francisco chamava de perfeita alegria o bem viver alheio às coisas do mundo. Bastava, a ele, as coisas do coração. Um contentamento sem fim, em que tudo é gratidão.

– Mas isso é coisa para santo! – comentei, com ironia.

– Aladim, você prefere ser feliz ou encontrar significado?

Silêncio. Eu não sabia, ainda, o que responder.

O Velho Taful sempre levantava uma questão para espichar a minha consciência.

– Pense no dinheiro e no que ele pode lhe oferecer. E você tem tudo de que precisa. É isso que muitos chamam de felicidade. É o que acontece com o abastado que não tem tempo de gastar o que acumula. E, também, com o próspero que, de tão rico, sofre de escassez de prazer em meio à abundância. Nessa hora, o Mórbido retorna, não mais na forma de medo, mas de tédio.

– Essa não! Mórbido sabe mesmo como se superar! – comentei, espantado.

– Se o propósito é a busca de prazer, a vida dos idosos perde o viço, pois os prazeres se reduzem na idade avançada. Portanto, ser feliz ou encontrar significado? Ou ser feliz somente enquanto jovem?

O Velho Taful pegou a sua querida Rita, disposto a preparar o nosso clássico café. Enquanto a colocava no fogo, disse, em um tom quase confessional:

– Aladim, nunca lhe contei sobre Madeleine.

Em seguida, com imensa calma, foi até a estante, retirou um livro e, de dentro dele, aquela foto que inadvertidamente eu já havia visto, sem, contudo, contar-lhe da involuntária indiscrição.

– Esta é Madeleine, a minha amada.

– Linda, uma bela mulher!

– Sim, bela em todos os sentidos. Eu a conheci em Portugal, na freguesia de Santo Tirso, próxima à cidade do Porto, no tempo em que ministrava aulas na Universidade de Coimbra. Isso na década de 50.

Naquela volta ao passado, ele se mostrava disposto a abrir um pouco de sua tão preservada intimidade.

– Madeleine foi a minha companheira de todas as horas. Não apenas de vida conjugal, mas também de letras e artes. Ela sempre fazia a primeira leitura de meus livros, opinava, dava ideias. Também comentava previamente as aulas e palestras que eu preparava. Esteve presente em todas as minhas escolhas e decisões.

Pela primeira vez, ele se dispôs despir-se, em confidências.

– Não conseguia imaginar a minha vida sem ela. Do cerzido das minhas meias à arrumação de nossos armários.

Das caminhadas matinais às noites de insônia. Das leituras que fazíamos às músicas que escutávamos juntos.

Ao abrir sua intimidade, o Velho Taful se mostrava mais vulnerável.

– Um dia, Madeleine se foi. Inesperadamente. Sem avisar. Nem ao menos nos despedimos. Uma dor avassaladora se apoderou de mim, invadiu meu corpo, meu sangue, meus nervos, meus ossos. Para mim, a vida não fazia sentido sem ela. Era o fim.

O olhar do Velho Taful se perdia no alto, como a imaginar a presença de Madeleine.

– Meus amigos, na época, sabedores do amor que tinha por ela, procuraram amainar a minha grande dor de viúvo. Não queriam que eu sofresse. Então, evitavam me deixar em casa, sozinho, para que a ausência dela não me conduzisse a uma depressão profunda. Queriam me distrair, levar-me a passear, sugeriram viagens. Alguns se ofereceram para me receber em suas casas, outros sugeriram que eu vendesse o que compartilhara com Madeleine ao longo de anos, para que não restassem sequer rastros de lembranças.

Enquanto falava, quase para si mesmo, ele observava a foto, com olhos brilhando intensamente, ainda fascinado pela recordação de sua amada.

– Disse a eles que desejava o contrário do que me propunham. Queria ficar em casa e chorar tudo o que tinha direito. Debulhar em lágrimas todo o meu sofrimento. E foi o que fiz. Hoje, resta-me a saudade, uma doce saudade. Sou grato à Madeleine por ter feito parte da minha vida. Ela foi um presente sublime de Deus. Um dom. Um dom que até hoje me preenche.

O Velho Taful esfregou os olhos, até que não houvesse mais lágrimas, limpou as lentes dos óculos e completou:

– Nada de pior pode nos acontecer do que não reconhecer a verdadeira alegria quando ela passa ao nosso lado.

Depois de contar a sua história, ele me pareceu ainda mais humano, e meu afeto por ele aumentou. Fitando-me nos olhos, em confissão, declarou:

– Eu sofri, você vai sofrer. Você vai perder pessoas amadas, pessoas amadas vão perder você. Nascer dói, morrer dói. Adolescer é sofrimento, envelhecer é sofrimento. Estar unido ao que não se ama é doloroso, viver separado do que se ama, também. É preciso aprender a viver com o sofrimento para não transformar as nossas buscas em fugas. E ainda mais... muito mais!

22
O desafeto perpétuo

Mórbido não vai desaparecer, disso já me convenci ao mergulhar em minhas tradicionais reflexões, depois de cada um dos encontros com o Velho Taful. Saía deles, sempre, com muitas questões interessantes a ruminar, como a certeza de que meu atormentador havia de permanecer o tempo todo me rondando, presente de muitas formas. Se não do lado de fora, em ameaças, crises, epidemias, tragédias e no noticiário que as sintetiza, estava no lado de dentro, em perturbações, alucinações e incessantes diálogos mentais.

Quem já não se deu conta de que existem muitas pessoas que andam pelas ruas falando sozinhas? Eu mesmo concluí que o que nos tornava diferentes delas – se é que, de fato, fôssemos – era o fato de ainda não murmurarmos em voz alta.

Não havia para onde correr, quando o que me perseguia era eu mesmo, ao mesmo o tempo o herói e o algoz. O autoritário e o submisso. Aquele que algema e o algemado. O controlador e o controlado. O adulto destemido e a criança vulnerável. Sem dúvida, Mórbido estava mesmo solto, externa e internamente. Como bom camaleão, costumava mudar de nome: medo, sofrimento, tédio. Isso no "acolá". No "aqui", tinha outros apelidos: Poderia Ter Sido, Nunca Mais, Tarde Demais e Ah! Se... e Adeus.

Assim, concluí que do Mórbido não me livraria, da mesma forma que um viciado não se livra da droga. Pode até modificar a relação com ela, depois de tomar consciência de sua condição de enfermo e decidir tratar-se para ter chance de cura, mas dela não escapa. Mesmo em abstinência forçada, dela não se distrai. Continua falando a respeito, embora não seja mais um usuário.

Mórbido fazia parte da minha experiência humana e continuaria a se manifestar. O Velho Taful deixou bem claro: errado é deixar que ele roube a cena. Sim, porque não era o protagonista da história que eu queria contar. Era o antagonista que me levava a seguir na direção contrária à correta. Sem culpá-lo, ao tomar consciência dessa realidade, eu podia até agradecer a ele, por acionar o alerta de que permitia alterar o rumo indicado por ele.

As reflexões me levaram a concluir que meu desafio humano era aceitar a existência da dor. A vida exige sacrifícios, eu devia sempre me lembrar. As coisas não acontecem de mão beijada, assim, sem mais nem menos. Compreendi, porém, corretamente, o que é sacrifício. Nele existe a intenção de criar e de encontrar o amor em tudo o que se faz. Sacrifício é sofrimento com significado. Portanto, um sacro ofício ou um ofício sagrado.

O meu desafio humano, concluí, era criar condições para que o sublime tivesse lugar. Era o meu maior desejo.

23
O dinheiro é bom

Achei que estava no bom caminho. Meus três desejos passaram pelo crivo do quinto desígnio.

Ao realizá-los, os sentimentos serão de "ufa!" - alívio - ou de "oba!" - alegria?

1º Desejo: contribuir, por meio de minha vocação, para a construção de empresas bem-sucedidas.
2ª Desejo: enriquecer o mundo ao meu redor em benefício de todos.
3º Desejo: transformar o trabalho em bênção.

Ao imaginar o primeiro se realizando, senti uma profunda alegria. O segundo, uma vez conquistado, me deixaria em êxtase. Saber que estaria enriquecendo o mundo ao meu redor, além de mim mesmo, suscitava uma sensação de plenitude. O terceiro desejo era o próprio desígnio, o trabalho feito de "oba!", pura alegria.

Antes acreditava ser preciso fazer o que se gosta para vivenciar o trabalho como um ato de amor. Percebia, depois de tantas conversas instigantes, que essa era uma crença enganosa, pois, se fossem realizados somente os trabalhos agradáveis, o que seria dos árduos e heroicos, como aqueles necessários para tratar as doenças e enfrentar os malefícios das guerras? Aprendi que, para viver o trabalho como um ato de amor, é preciso gostar do que tem de ser feito. E aprender a amar todo o tipo de trabalho, pois, quando realizado com amor, é revestido de dignidade.

Viveria os meus desejos mesmo que nada ganhasse para realizá-los. Passei a entender o que disse, de fato,

Madre Teresa no esclarecedor diálogo que manteve com um empresário:

– "Por dinheiro nenhum faria o que a senhora faz", ele disse àquela mulher santa, dedicada a uma realidade tão desumana e miserável.

"Nem eu", respondeu ela.

O trabalho como um ato de amor não é diferente, concluí. Deve ser vivido da mesma forma, sem almejar algo em troca. Ele é a própria recompensa. Deve ser vivenciado plenamente com devoção, não como obrigação.

A propósito, o dinheiro era o tema da última carta que recebi do Velho Taful.

Ilmo. Aladim

O dinheiro é bom, meu caro! Gastá-lo com bons propósitos é apenas a primeira condição para fazer dele algo bom. Saber de onde vem e para onde vai o que circula em nossas mãos é crucial para que seja considerado, de fato, bom.

O dinheiro é bom! Nas mãos de empresários, pode criar empregos sólidos e dignos. Assim, serve às pessoas e, por decorrência, suas famílias. Permite, ainda, que se invista em projetos que promovam uma vida mais humana.

O dinheiro é bom quando a ele se atrela o serviço e a solidariedade. Reveste-se de virtude e energia, fazendo com que se propaguem quando ele circula.

O dinheiro é bom quando, via poupança, é destinado a investimentos que apoiam a arte e a cultura, a educação e a saúde, a justiça e a ecologia e tudo mais que contribui para construir uma humanidade.

O dinheiro é bom quando ao invés de ser investido no que rende mais dinheiro, é investido no que rende mais vida.

Valorizar o dinheiro pelo dinheiro é como correr atrás do rabo, sem chegar a nenhum lugar. Todo aquele que financia a vida é um dinheiro nobre.

O dinheiro é bom em sua justa medida. A ganância é sinal de que o dinheiro perdeu a sua função e, a partir daí, resta a distorção. A corrupção é sinal de que o dinheiro carece de virtude e, a partir daí, só resta o vício. O crime é sinal de que o dinheiro perdeu a sua vocação e, a partir daí, resta a violência. Fora tais defeitos, que não são do dinheiro, mas do próprio ser humano, o dinheiro é bom.

O dinheiro é uma boa fonte de energia como tantas outras – o tempo, a saúde, o divertimento, as relações – e serve também para enriquecer a vida.

Muitas vezes, falta ao dinheiro um propósito. Pois aqui vai um desafio: trate de torná-lo bom. Não esqueça disso ao definir o seu propósito. Assim, fará com que o dinheiro, muito além de seu aspecto material, seja também um desafio espiritual.

Do seu,
Velho Taful

Precisava encontrá-lo para lhe dizer que havia passado pelo quinto desígnio. E que estava pronto para o teste final.

24
O teste final

Soube, com pesar, que o Velho Taful se mudaria para Portugal. Ele havia resolvido viver na terra de sua amada, Madeleine, e também de muitos amigos intelectuais. Encontrei-o encaixotando livros e telas, discos e miniaturas. Ver o seu ateliê sendo desmontado partiu meu coração. Já havia me acostumado com aquele ambiente que misturava o lógico e o lúdico, o real e o fantástico, o divino e o profano, a tela de são Francisco tropical e a frase de Mário Quintana, a lâmpada do gênio e as miniaturas de instrumentos musicais, os discos, os *souvenirs* e os brinquedos. Esse cenário havia sido o meu segundo lar, ao longo de muitos anos.

– Parto em três semanas, Aladim.

– Tem mesmo certeza de que essa é a melhor escolha? O Brasil precisa de homens de sua estatura! – tentei argumentar.

– Preciso reencontrar minhas fontes, meu ponto de partida – ele fechou a questão, delicada e filosoficamente.

O dia estava quente e o Velho Taful havia preparado uma jarra de limonada, disposta em uma bandeja com dois copos. Esperava-me, provavelmente para finalizar as cinco estações e aplicar o teste final.

– E então, Aladim? Seus desejos passaram pelo quinto desígnio?

– Sim, e todos eles, quando se transformarem em propósitos, serão motivos de alegria para o meu cotidiano. Não me sentirei aliviado, exceto por conta do cansaço de me entregar com empenho aos meus desejos. Um sentimento agradável e gratificante me invade, até no simples ato de me imaginar vivendo o propósito que me aguarda.

O Velho Taful sorriu.

– Acho que começo a compreender esse contentamento, que vai além do prazer e da felicidade – acrescentei.

– Que bom, Aladim. Mas se lembra que existe um teste final?

– Sim! E estou curioso para passar por ele.

– Os seus três desejos deverão compor um único propósito. De quais você abriria mão para ficar com um só, aquele que é?

– E por que apenas um?

– O sábio Confúcio já ensinava, "Quem caça dois coelhos não pega nenhum". Uma das finalidades de se ter um propósito é o foco em estado de atenção. Vai ver como oportunidades surgirão para você depois que descobrir o seu propósito e colocá-lo na ordem do dia. "Eu não procuro, eu encontro", dizia Picasso. E você vai encontrar todos os dias, como se fossem milagres, elementos que vão ajudá-lo em seu propósito.

– Gostaria de conversar com meus botões para saber qual é o propósito que resulta dos meus desejos.

– Então faça isso. O teste derradeiro fica para depois que você formular o seu propósito.

– E qual é o teste derradeiro?

– Anote aí para não se esquecer: você está mesmo disposto a largar tudo para seguir o seu propósito?

Enquanto aguardava que eu terminasse de escrever, o Velho Taful arrematou:

– Caso a resposta seja sim, siga em frente. Se for não, continue na busca.

Nossas conversas se estenderam ao longo da manhã. Ao nos despedirmos, ele me entregou um presente, embrulhado toscamente.

– É para você, quero deixar de lembrança.

– O que é? – perguntei, ao me livrar atabalhoadamente da embalagem.

– Melhor perguntar quem é. Para você ter sempre em mente que todos, pessoas e coisas, são sujeitos e devem ser tratados como tal.

Desse dia em diante, Rita esteve presente em casa, como estrela de todos os meus cafés da manhã. Para mim, representava o Velho Taful me lembrando dos cinco desígnios.

PARTE 3 O menino e o velho

25
Pobres enganos

Meses se passaram desde a mudança do Velho Taful para Portugal. Eu dissolvia a saudade em cada gole de café que Rita me proporcionava. Mantinha viva a minha gratidão por ele nos bons tratos que oferecia à amiguinha de todas as manhãs.

Estava, justamente, entre um gole e outro, quando, certo dia, a alegria bateu à porta. Era o carteiro, entregando uma mensagem que havia atravessado o Atlântico. Não tinha dúvidas, mas me certifiquei, olhando o verso, para confirmar o remetente: Benjamin Taful, da freguesia de Santo Tirso, cidade do Porto, Portugal.

Abri, quase ofegante, ávido por notícias de meu querido interlocutor.

Ilmo. Aladim

Espero que esteja bem.

Tenho algo a lhe dizer, ainda, sobre propósito e a sua busca.

Vou começar pela estória de um homem que tinha como propósito de vida encontrar Deus. Largou tudo para se dedicar a essa procura. Caminhou por vales e montanhas, atravessou rios e lagos, cruzou mares e oceanos, escalou pedras imensas e encarou desfiladeiros. Enfrentou tempestades, inundações e avalanches. Passou fome, sede e frio, em nome de sua obstinação.

Um dia, já cansado de tantas andanças, encontrou na beira de uma estrada um casebre, ladeado por uma cerca e um portão, onde uma placa dizia: "Deus mora nessa casa".

O coração do homem se acelerou e ele, num ímpeto, rompeu a cerca e dirigiu-se à porta de entrada. Estendeu a mão, que acabou mantendo suspensa no ar. Não ousou bater. Abaixou o braço, respirou fundo, deu meia-volta e retornou à sua busca.

Não soube do resultado final do seu trabalho, mas elaborar o propósito é um processo de refinamento que pode levar a vida toda. Não há por que ter pressa, nada é para já. Na busca do propósito, só conta o primeiro passo, e esse você já deu. Os demais chegam por si mesmos. Uma pessoa só pode se dizer feliz ou bem-sucedida nos últimos instantes de sua vida. Então, não se prenda a pobres enganos.

Sei que cada um de nós se sente incompleto, enquanto não descobre o propósito, mas substitua essa palavra, incompleto, por outra, inacabado. A jornada em busca do propósito vai nos dando "acabamento" e nos tornando melhores a cada dia.

Para que o seu contentamento seja completo, é preciso avançar gradativamente, amadurecer, refinar-se, evitar os atalhos que atrapalham o alvo e a trajetória da seta.

Afinal, Aladim, em quem você está se transformando, enquanto busca o seu propósito? Se o descobriu, averigue: ele faz de você uma pessoa melhor?

Acrescente outra palavra ao seu vocabulário: disciplina! Disciplina é ser discípulo de si, de seu propósito, concebido em sua própria consciência. Isso vai lhe trazer novos hábitos e fazer com que largue mão de outros arraigados e que não dão certo. Sem disciplina, nada feito, pois mudanças reais em nossa vida não acontecem apenas por conta da vontade. Dependem de muito mais. Em especial da força de vontade, lembra-se? Era o que eu gostaria de lhe dizer, por ora.

Por aqui tudo bem, muito afeto da família de Madeleine e grande apreço dos amigos. Conheci um em especial, da freguesia de Azinhaga do Ribatejo, escritor que somente agora, quase aos 60 anos, resolveu assumir a sua vocação. Muito talentoso, penso que ainda vai dar o que falar aqui na pátria-mãe e também nas terras tupiniquins. Seu nome é José Saramago. Anote aí.

Do seu,
Velho Taful

Li e reli muitas vezes essa mensagem. Como foi a última, eu sempre retornava a ela quando me sentia em crise diante de meu propósito ou quando velhos hábitos ameaçavam ocupar espaços já preenchidos por novos e bons costumes. Ou apenas para amainar a saudade que sentia dele. Nunca me cansei da releitura, sempre feita junto de Rita, minha inseparável companheira.

26
O meu propósito

"Sonho com uma nova economia. Um ambiente em que sujeitos sejam sujeitos e objetos, objetos. Se, por acaso, existir alguma distorção, que os objetos sejam tratados como sujeitos".

O auditório silencioso me escutava com total atenção.

"Sonho com uma economia que promova a igualdade. Não aquela em que as coisas sejam distribuídas homogeneamente. Nem todos sofrem das mesmas carências ou padecem das mesmas ambições. Mas que as oportunidades sejam iguais para que vivam seus desejos íntimos e únicos, aqueles que fazem a vocação se expressar".

Sempre mantive presente os cinco desígnios. Eles integravam por completo o meu propósito de vida.

"Sonho com a incompletude preenchida pelo trabalho. Que este ocupe qualquer lacuna e que a farta transforme o trabalho em obra. Ainda mais: que nessa hierarquia entrelaçada, trabalhos e obras promovam a evolução da humanidade".

Os meus desejos haviam se transformado em propósito e este, em obra. Uma obra que, naquela altura, não era apenas minha. Uma obra coletiva.

"Sonho com uma humanidade com H maiúsculo, em que os erros aconteçam para revelar os acertos, os vícios circundem para ampliar as virtudes, o profano exista para elevar o sagrado, o humano evolua natural e serenamente para encontrar o divino. Que nessa jornada de idas e vindas, possamos crescer em integridade e compaixão".

Via os olhos brilharem e sentia os corações pulsando, à medida que falava.

"Sonho a empresa como uma comunidade de trabalho, uma microssociedade bem-sucedida, em que todos tenham voz e vez, as relações sejam atóxicas e nutritivas, os talentos individuais resultem em competência de grupo, e que estejam a serviço do bem-estar coletivo".

O meu menino ainda permanecia vivo e sabia como conversar com outros meninos.

"Sonho com cérebros e mentes criando, pensando, raciocinando e resolvendo problemas, sem que o coração se corrompa. É o órgão que deve permanecer à frente, ao lado e envolvendo tudo, pois o amor é o seu maior produto".

O desejo de enriquecer o mundo ao meu redor estava se concretizando.

"Sonho com negócios geradores de uma riqueza superior, que vá além do material, necessária para eliminar males sociais como a penúria e a precariedade, mas que ao mesmo tempo combata a maior de todas as misérias: a da escassez de amor. Que ninguém mais morra à mingua na boca da amargura, do abandono, da solidão, do isolamento, da exclusão, da falta de fé e de coragem".

A emoção era quase palpável de tão intensa, no ambiente.

"Sonho com a vida feita de sentido e significado, como uma bela e gratificante jornada virtuosa. Ainda que seja múltipla, seguimos juntos, de mãos dadas, pois o propósito é um só e a essência é a mesma.

Trilhemos, assim, com o propósito de criar uma Nova Economia, por meio de mercados éticos, humanos e prósperos!".

Ao me retirar, nos bastidores, ainda ouvia os aplausos, ressoando nos ouvidos. Sem dúvida, o Velho Taful ficaria muito orgulhoso daquele e de tantos outros feitos que se seguiram, por anos e anos, depois de nossas profícuas e inspiradoras conversas.

27
As três perguntas

Conheci o Velho Taful em minha mocidade. Tenho, hoje, a mesma idade dele, no momento em que nos encontramos pela primeira vez. O encontro casual naquele ônibus mudou a minha vida por completo, de uma forma que eu jamais teria imaginado. "Faça de sua vida uma aventura fértil", ele me disse, nos primórdios de nossa interação. É o que tenho feito ao longo dos anos. Compreendi, com o passar do tempo, que é importante ter um alvo, porém, mais importante ainda, é o sentido da seta. O propósito é tanto o alvo como a seta.

Hoje, ajudo outras pessoas e empresas a descobrirem o seu propósito. Sei o quanto essa trajetória pode ajudá-las a evoluir. Mas tudo começa com os desejos. E com a escolha das palavras que definem tais desejos. O gosto pelas palavras me levou à escrita, na sequência do amor pela leitura.

Aprendi a diferença entre destino e desígnio. Para mim, os cinco desígnios são como mandamentos a nortear as minhas decisões e ações.

Pratico diariamente três olhares: apreciativo, empático e consciente. Eles me ajudam na relação com os outros, com o mundo e com o meu persistente parceiro de aventura, Mórbido, um oponente que não me deixa perder o eixo e me mantém em equilíbrio. E, claro, não me deixo levar pelo olhar biruta.

Sou escritor e um líder educador. Sei o quanto esses papéis são desafiadores, mas sei também o quanto um propósito facilita a nossa vida. Sempre tenho em mente que "o 'aqui' não se resolve sem o 'acolá'". As metas estão no “aqui”, mas só funcionam se houver um propósito orientador no “acolá”.

“Você quer ser feliz ou encontrar significado?”

“Você largaria tudo para seguir o seu propósito?”

“Enquanto isso, em quem você está se transformando?”

Jamais esquecerei o gênio da lâmpada e suas instigantes lições, tão vívidas em mim. Enquanto espero que permaneçam em todos com quem as compartilho.

EPÍLOGO
Convicção é não ter certezas

Em um encontro na cidade de Atibaia, reunimos mais de duzentos líderes empresariais. Eram participantes do processo da metanoia, como meio para obter filosofia, estratégia e metodologias capazes de levar seus empreendimentos a um novo patamar. Falamos de uma Nova Economia, composta por empresas éticas, humanas e prósperas.

No dia seguinte, pela manhã, seguimos em pequeno grupo para Bragança Paulista. Era um sábado do mês de dezembro e queríamos concluir o nosso ano em uma casa de repouso para idosos, boa parte deles esquecidos por suas famílias. Para nós, esse dia seria a nossa festa de Natal.

Eu já visitara outros lugares semelhantes. Normalmente, neles, havia encontrado velhinhos que ainda mantinham intactos a ignorância, a raiva e a avareza. Alguns muito amargurados, carregando rancores antigos de parentes e amigos. Outros, mesmo entre os terminais, ainda fortemente apegados às suas coisas. Guardavam tudo com o afã de quem acha que aquilo lhes faria falta na outra vida.

Qual não foi a nossa surpresa quando encontramos uma outra atmosfera. Alguém havia proposto a realização de um amigo secreto. Os participantes concordaram em trocar entre si algum de seus melhores pertences, como uma forma de superar a avareza e, carinhosamente, externar um sinal de desapego e solidariedade.

A festa seguia animada, quando, de repente, todos fizeram silêncio. Aguardavam a chegada do dono da ideia. E eis que surgiu, na rampa de acesso ao salão, um senhor em uma cadeira de rodas. Sob o chapéu, aquele rosto bem conhecido, de barba e bigode. Quase não acreditei no que via! Era ele! O Velho Taful! Estava ali vivendo o seu propósito. Foi efusivamente saudado e abraçado, enquanto um coral cantava "O Velhinho", música brasileira de Natal. Radiante, com mais de 90 anos de idade, ele era todo sorrisos, contagiado pela atmosfera alegre.

Assim que ele me viu, tratei de acenar, para conferir se ele me reconhecia, agora com as marcas do tempo no rosto. Quando me reconheceu, seus olhos marejaram, ao mesmo tempo em que os meus. Assim que nos aproximamos, selamos o reencontro com um grande abraço, daqueles que só sabem oferecer os velhos amigos, ou como um pai abraça um filho. Os dois a chorar e rir, ao mesmo tempo.

O Velho Taful havia retornado de Portugal e, sem condições de continuar morando sozinho, resolveu mudar-se para a casa de repouso. O bom ar das montanhas o levou para aquelas paragens. Sempre a par das modernidades, ele me acompanhava pelo Facebook, mas, sabendo de minha agenda repleta, não quis me fazer contato.

Seu passatempo predileto, agora, era escrever cartas para parentes e amigos dos idosos. Primeiro, ele escutava a história de cada um, geralmente repleta de mágoas e ressentimentos de um passado reprisado várias vezes na memória. Depois, com a sabedoria de sempre, elaborava textos memoráveis, com uma pitada de seu jeito de ser, sempre à procura do que há de melhor em tudo e todos.

Ele mesmo me contou a história de uma senhora que sentia um tremendo rancor por seu marido, um imigrante europeu, muito dedicado ao trabalho, mas desatento e duro no relacionamento. O casal vivenciou tempos difíceis, na luta incessante pela sobrevivência. Com a idade avançada, a senhora foi internada na casa de repouso, onde raramente recebia a visita do marido, embora mantivesse a esperança de vê-lo com mais frequência. Ao fim de seu triste relato, o Velho Taful lhe perguntou:

– E o que a senhora mais gosta nele?

– O olhar... aqueles olhos azuis sempre me fascinaram! – ela respondeu, com uma expressão totalmente distinta da crispada, anterior. Seu semblante ficou leve e belo, com as rugas bem atenuadas, ao revelar a doçura que havia, ainda, em seu íntimo, ao falar sobre o amor de sua vida, com ares de eterna apaixonada.

– Assim são todas as cartas que escrevo, Aladim. Todas começam tristes e melancólicas, até que faço a pergunta do olhar apreciativo: "e o que valeu a pena"?

– O amor sempre foi e sempre será o que vale a pena.

Trocamos um olhar cúmplice.

– E o amor é dar o que você não tem a quem não deseja receber – ele continuou.

Sorrimos, as mãos dadas, certos da grande amizade que nos unia. Ainda aprendo muito com ele. Em nosso reencontro compreendi que o passado ainda está por se fazer.

– Velho Taful, você nunca me declarou qual é o seu propósito.

Cofiando o bigode, o velho sábio respondeu, sem pestanejar:

– O meu propósito é agradar a Deus.

Dele, ficou apenas o que resta, quando nada mais resta. Havia se destituído de tudo, menos de sua convicção.

AGRADECIMENTOS

À Mirian Ibañez, pelo tratamento dos originais, na mesma vibração da escrita.

Aos jovens do Paideia, programa de educação da Metanoia, pela leitura crítica dos originais, feita com cuidado e discernimento: Paloma dos Santos Barbosa, Tiffany Daniely Porpilio Hardt, Yasmin Akemi Sato Kurokawa, Gabriel Araújo da Silva, Maria Julia Benassi Piola, Lívia Targino de Oliveira.

À coordenação de Fabiana Iñarra, educadora do Paideia, e ao apoio especial de Lucas Britsky.

À Maria Helena Bosco Vaz, sensibilidade suprema.

Às contribuições de Camila Queroz Targino.

Ao Francesco Conventi, o amigo Tchesco.

Aos parceiros de propósito no trabalho e na vida, por avivar o meu menino: Alexandre Zorita, Ivo Ribeiro, Carlos Soares, Susi Maluf, Zilda Fontolan.

À Iris Moreira, em especial.

Aos adendos e proposições de Silvio Bugelli e aos cuidados primorosos de Anderson Cavalcante e à equipe da Buzz Editora.

À Maria, minha companheira, presença leve e delicada.

www.robertotranjan.com.br
facebook.com/RobertoTranjan
LinkedIn: Roberto Tranjan
roberto.tranjan@metanoia.com.br

METANOIA – Propósito nos negócios
www.metanoia.com.br
facebook.com/metanoiapropositonosnegocios

Reimpressão, abril 2024

FONTE Register
PAPEL Pólen bold 90 g/m²
IMPRESSÃO Imprensa da Fé